Hans Edelmaier

Die verlorene Kunst des Spähtruppgehens

mit Beiträgen von
Walter Petschnig, Franz Jordan, Alois Balog,
Wolfgang Janner, Olaf Hoppe,
Ion L. Idriess und Frederick R. Burnham

Druck: Stader-Media, Warwitzstraße 1, 5023 Salzburg.

ISBN 978-3-901185-64-9

Hans Edelmaier :
Die verlorene Kunst des Spähtruppgehens

Spähtrupp in Karelien 1942.

Inhaltsverzeichnis

Vorwort

Im Winter 1962 war ich, zeitlich früh, bei eisiger Kälte, Leitender eines Kompanieschießens am Truppenübungsplatz Allentsteig, Schießbahn Großpoppen. Der Infanterieinspektor, Oberst Friedrich Birsak besichtigte die Durchführung, holte mich zu sich und fragte unvermittelt: „Lagler, willst du nach Amerika?" Nein zu sagen wäre sowieso unmöglich gewesen und so erwiderte ich: „Jawohl, Herr Oberst". Ohne weitere Erklärung war das Gespräch damit beendet und der Oberst fuhr daraufhin auch gleich weiter.

Nach und nach sickerte auch zum Panzergrenadierbataillon 13/ Ried i. I. und damit auch zu mir durch, worauf ich mich da eingelassen hatte: Auf den damals legendären „Ranger-Kurs" an der Infanterie Schule der amerikanischen Armee in Fort Benning, Georgia.

Dass ein ganzer mehrmonatiger, auch körperlich sehr belastender Kurs mit Schwergewicht der Planung, Durchführung und Auswertung von Spähtrupps gewidmet war – das ist für mich damals doch neu gewesen. Die „fertigen Ranger", das war eines der Ziele, sollten das erworbene Wissen und Können als Spezialisten dann in ihren Einheiten bei der Ausbildung weitergeben. Damit erhoffte man eine beachtliche Breitenwirkung.

So weit ich weiß, haben – mich einschließlich – fünf österreichische Offiziere den Ranger-Kurs erfolgreich absolviert und unsere Erfahrungen bzw. Erlebnisse sind dann nach und nach in die Jagdkommandoausbildung und auch in den Gefechtsdienst der Truppe eingeflossen. Ich aber wurde, einige Monate nach Rückkehr, an die Jägerschule nach Saalfelden als Lehrer Panzerabwehr versetzt. Mein Spähtruppwissen war dann nicht mehr so gefragt.

Im Bundesheer lief die Spähtruppausbildung als Bestandteil des Gefechtsdienstes damals so nebenher. Es blieb der Initiative der jeweiligen Kommandanten überlassen, welcher Wert auf diesen Ausbildungszweig gelegt wurde. Die damaligen Vorschriften gaben auch eher nur Hinweise, in welchen Lagen Spähtrupps einzusetzen waren. Nur die AVI „Die Schützengruppe" von 1960 enthielt genauere Bestimmungen für die Durchführung.

Dabei ist die Spähtruppausbildung einer der wenigen Gefechtsdienstbereiche, der mit geringem Aufwand interessant und spannend gestaltet werden kann. Eine mit genauen Verhaltensanweisungen („Drehbuch") versehene Feinddarstellung im Aufklärungsziel und im Zwischengelände macht zudem die Spähtruppergebnisse überprüfbar. Fast alle Ausbildungsziele, die der Soldat während der Grundausbildung erlernt, müssen beim Spähtrupp zur Anwendung kommen.

Für die eingeteilten Spähtruppkommandanten ist diese Ausbildung eine Herausforderung und auch für die ihnen zugeteilten Soldaten, die erkennen, dass selbst der kleinste Fehler des Einzelnen das gesamte Vorhaben zum Scheitern bringen kann.

Vorschläge, die Ausbildung z.B. durch eine „Spähtruppwoche" zu intensivieren verliefen leider im Sande.

Bei der Miliz, vor allem bei den Einheiten in den Raumsicherungszonen, stieg im Lauf ihrer Entwicklung aber das Interesse an dieser Form der Ausbildung, da ohne vorherige Aufklärung die Erfüllung zahlreicher Aufgaben gar nicht möglich gewesen wäre. Und so kam es, dass der um 1990 gegründete Salzburger Milizverlag als erste Publikation die Lehrschrift „ Spähtruppführer" herausbrachte, eine schmale Broschüre, welche die diesbezüglichen Grundsätze mit Zeichnungen und erläuternden kurzen Gedichten, leicht fasslich und anschaulich, darstellte – der Spähtrupp in Poesieform sozusagen! Als Vorbild für diese Art der Gestaltung dienten Lehrschriften aus den verschiedensten Epochen, aus dem In- und Ausland. Schon immer hatte man mit solchen Heften versucht, den Ausbildungsstoff „soldatengerecht" darzustellen.

Es ist bemerkenswert, dass der Milizverlag und sein Autor Hans Edelmaier nach nunmehr fast dreißig Jahren wieder initiativ wird und ein Buch über die „Kunst des Spähtruppgehens" herausbringt, eine Kunst die, bedingt durch die zahlreichen anderen Aufgaben, welche an die Truppe herangetragen werden, verloren zu gehen scheint. Das Buch folgt der Tradition der alten Lehrschriften, denn es informiert den Leser nicht in „trockener" Vorschriftensprache, sondern erklärt durch Beispiele. Es zu lesen ist daher auch ein Vergnügen!

Ohne ausreichende Aufklärung gingen viele Gefechte oft schon im Ansatz verloren. Die Kriegsgeschichte ist voller Beispiele davon. Ich hoffe und wünsche es Autor und Verlag, dass das Buch dazu beiträgt, diesen Fehler zu vermeiden und dass die Spähtruppausbildung in allen Waffengattungen des Bundesheeres wieder jenen Stellenwert erhält, der ihr zukommt. Die alte Ausbildungsvorschrift „Die Führung des Bataillons und der Kompanie" sagt darüber deutlich: „Aufklärung und Sicherung sind in jeder Lage und jeder Kampfart unerlässlich. ... Ein Kommandant, der Aufklärung und Sicherung vernachlässigt, setzt seine Truppe leichtfertig aufs Spiel!"

General i.R. Mag. Engelbert Lagler
im September 2018.

Zu diesem Buch

Spähtrupp gehört zum Handwerkszeug des Infanteristen, insbesondere des Jägers. Aber für gediegene Spähtruppausbildung war nie und nirgendwo genügend Zeit vorhanden oder wollte man einfach die notwendige Zeit nicht freimachen. So ist das Spähtrupphandwerk seit den Anfängen des Bundesheeres auf wenige Spezialisten beschränkt geblieben. Und die wurden nicht Spezialisten dank Auftrags und der dafür bereitgestellten Ausbildung, sondern ausschließlich deshalb, weil sie sich dafür interessiert und sich das notwendige Können durch Beharrlichkeit angeeignet haben.

Es hat große „Meister des Spähtrupphandwerks" gegeben und ich hatte das Vergnügen, die meisten von ihnen kennenzulernen. Sie sind auch in diesen Seiten vertreten. Bei den Fernspähern hat man Spähtrupp auf hohem Niveau betrieben, aber mit dem Verschwinden der Fernspäher angesichts „neuer Aufgaben" ist auch deren Know-how weitgehend verschwunden (beim Jagdkommando hat man es teilweise bewahrt) und als mit der Verkürzung der Wehrdienstzeit die Verbandsausbildung eliminiert wurde, ist auch das praktische Wissen darum in der Feldtruppe verlorengegangen. Neuerdings bemüht man sich am Institut Aufklärung der Heerestruppenschule um Anschluss und das lässt hoffen.

Ich habe versucht, hier einiges vom Wissen der „Alten" zu konservieren, vielleicht kann es den jungen Soldaten Anregungen geben. Ich kann natürlich nur darüber berichten, wie wir seinerzeit die Sache angegangen sind, und moderne Entwicklungen mögen das eine oder andere Detail relativieren. In den Grundzügen aber stimmt der Inhalt auch heute noch, selbst wenn optronische Nachtsichtmittel, Drohnen, Gefechtsfeldradar und seismische Bewegungsmelder die Dinge komplizierter und schwieriger gemacht haben.

Die in diesem Buch vorgelegte Kompilation von Spähtrupperfahrungen will kein Lehrbuch sein, welches das Spähtrupphandwerk lückenlos darstellt. Dazu war der Lernprozess der hier zu Wort kommenden Proponenten zu unterschiedlich. Aber wir haben die Sache so erlebt und erfahren und nehmen an, dass das heute noch Anregungen geben kann.

Hans Edelmaier, Juli 2018.

Hans Edelmaier:

Spähtruppweisheiten

Spähtruppausbildung in der Auglau bei Hainburg, ca. 1976. Foto Kvarda.

Russische „Schleichpatrouille" im Ersten Weltkrieg.

1. Grundsätzliches

An die fünfzig Jahre mag es her sein: Es war ein Frühjahrsmanöver der 6. Brigade irgendwo im Tiroler Unterland. Unser Zug lag an einer Geländekante inmitten eines Hochwaldes. Vor uns brach ein Steilhang zu einem breiten Graben ab, den entlang eine Schotterstraße führte. Ein ungutes Gelände für uns als Angreifer – stark kupiert und dicht bewaldet, überall konnte der Feind sitzen. Der Kompaniekommandant befahl unserem Zug, einen Spähtrupp vorzuschicken, um die Feindfühlung aufzunehmen. Der Zugskommandant bestimmte seinen besten Mann, diesen Spähtrupp zu führen: Seinen Stellvertreter, den Poldl. Ein untersetzter Boxertyp, als wilder Hund bekannt, der beste Unteroffizier der Kompanie. Der riss sich eine unserer Gruppen unter den Nagel und stapfte los. Von der Böschung aus konnte man sie gut beobachten: Der Poldl voraus, sein Sturmgewehr 58 lässig am Gewehrriemen nach Jägerart an die rechte Schulter gehängt. Der Gefreite und der Rest der Gruppe in Reihe hinter ihm her, so gingen sie die Schotterstraße entlang vor und verschwanden hinter der nächsten Biegung.

Karl May – höchstpersönlich!

Es dauerte nicht lange, bis wir Nachricht hatten: Sie waren auf Feind aufgelaufen, der sie aus überhöhten Stellungen zusammenschoss, und der Schiedsrichter hatte sie für vier Stunden ausfallen lassen. Lange genug, um bei unserem Angriff nicht mehr mitmachen zu können. „Mein Gott!", bemerkte der Zugskommandant mir gegenüber, „der Poldl! So eine Ungerechtigkeit! Wo er doch so ein alter Spähtruppgeher ist!"

Ob man wirklich ein alter Hase sein muss, um einen Spähtrupp auf derart depperte Art zu gehen? So dachte ich im Stillen. Wenn man sich dem Feind auf der Straße nähert, dann kann es ja nicht ausbleiben, dass man ihm ins Messer läuft! Der Feind sitzt schließlich an der Straße, wo sonst?

Auf diese Art konnte es also nicht funktionieren. Wie aber dann? Nicht, dass ich mich nicht eifrig unter den „alten Hasen" umgehört hätte, aber da war regelmäßig Funkstille. Die präziseste Antwort gab mir noch mein Zugskommandant: „Weißt Du, das kann man nicht so einfach erklären. Dazu brauchst Du viel Erfahrung!"

Kurz und gut: Keiner hatte eine blasse Ahnung. Ich habe jedenfalls mein Lebtag nicht erklärt bekommen, wie man einen Fußspähtrupp so anpackt, dass er auch funktioniert.

Die Vorstellungen darüber waren seinerzeit entschieden von Karl May geprägt: Anschleichen, Befehlsausgaben belauschen, einem Posten vom Baum aus ins Kreuz springen. Ich habe nur nie einen Soldaten getroffen, der solchen Unfug je wirklich gemacht hätte. Meist blieb es bei stichwortartigen Hinweisen im Lehrsaal. Wenn ich es recht überlege, so habe ich überhaupt nur sehr wenige Leute getroffen, die praktische Spähtrupperfahrung besaßen.

Zu allem Übermaß gab es damals auch einen Lehrfilm amerikanischer Provenienz, der den schulmäßigen Ablauf eines Spähtruppunternehmens zeigte: Der Spähtrupp schleicht bei Nacht in ein feindliches Barackenlager, er pirscht sogar in eine Baracke hinein. Wie er da drinnen im Finsteren etwas erkennen sollte, blieb ungeklärt. Er schleicht sich wieder hinaus – Winnetou live. Sein Aufklärungsergebnis beschränkte sich auf die Analyse der Schnarchtöne in der Baracke. Von der Ausdehnung des Lagers, seiner Sicherung und seiner Belegschaft brachte er keine Erkenntnisse mit zurück.

Hätte der Spähtrupp auf einem abseits gelegenen überhöhten Punkt eine B-Stelle bezogen, so hätte er vielleicht das ganze Lager überblicken und einen Eindruck von seiner Besatzung gewinnen können. Am Morgen beim Antreten oder

Einen Posten vom Baum herunter anzuspringen galt füher als Ranger-Überschmäh (im Bild Jagdkommando 1964). Aber nur sehr wenige Posten tun einem Gefallen, sich just unter den Baum zu stellen, in dem man lauert. Und wenn der Posten nicht alleine, sondern als Doppelstreife unterwegs war, dann hat den Mann im Geäst endgültig das Glück verlassen. Erfolgreiche Aufklärung ist anders!

zum Essensempfang hätte er sie gar abzählen können. Und um Einzelheiten auszumachen, die mit freiem Auge nicht erkennbar sind, ward der Feldstecher erfunden.

Auf diese Weise hätte der Spähtrupp ein wirkliches Aufklärungsergebnis zurückgebracht, das dem taktischen Kommandanten eine Entscheidungsgrundlage gewesen wäre. So hat er bloß ein Abenteuer bestanden. Denn in ein Lager einzudringen ist eine Sache – ungeschoren wieder herauszukommen aber eine gänzlich andere.

Womit wir beim Kern des Problems wären: Ein Spähtrupp späht, d.h. er klärt ausschließlich durch Beobachtung auf – drum heißt er auch so. Beim Beobachten aus einer stationären B-Stelle tut man sich erheblich leichter als im Gehen und genau darum hat es wenig Sinn, zu viel im Gemüse herumzupirschen.

Man sieht umso mehr, je größer das Gesichtsfeld ist. Und das Gesichtsfeld ist umso größer, je weiter man vom Betrachtungsobjekt entfernt ist. Das wird lediglich von der Reichweite der Beobachtungsmittel begrenzt.

Einem Gefreitenanwärter bringt man bei, dass er beim Exerzieren als Kommandant nicht zu nahe an seine Gruppe herangehen soll, weil er sie sonst nicht mehr überblicken kann. Dasselbe gilt auch beim Beobachten – und da erst recht! Mit freiem Auge sind 300 Meter Beobachtungsentfernung schon sehr viel. Bei gleichförmigem Hintergrund, vor dem sich Ziele gut konturieren (etwa eine Straße), kann man auch noch auf 500 Meter beobachten, allerdings nicht mehr gut. Mit dem Feldstecher erhöht sich die B-Entfernung locker auf einen Kilometer, wenn's sein muss auch mehr. Das hängt davon ab, ob man Überblick gewinnen oder Einzelheiten erkennen will.

Aufgeklärt wird also – und das ist die Grundlage jedes erfolgreichen Spähtrupps – aus einer B-Stelle durch Beobachtung und nicht durch „Hingehen". Körperliche Anwesenheit im Aufklärungsziel ist nicht erforderlich, sondern vielmehr störend und kostet obendrein zuviel Zeit. **Der Spähtrupp „wirkt" durch Beobachtung** und meidet Bewegungen! Freilich kommt er nicht umhin, sich an das Aufklärungsziel annähern zu müssen. Aber immer nur, um eine geeignete B-Stelle zu gewinnen! Und er wird sich vielleicht nochmals vorarbeiten müssen – aber wieder nur, um die B-Stelle weiter vorzuschieben, um besser sehen zu können!

Allerdings kann das nur funktionieren, wenn der Spähtrupp etwas sieht – will heißen: Bei Tag! Es ist zwar ein gängiges, aber völlig unsinniges Unterfangen, Spähtrupps bei Nacht aufklären zu lassen. Wie sollen sie da etwas beobachten?

Leider schicken so gut wie alle Kommandanten ihre Spähtrupps abends hinaus und befehlen ihnen, spätestens im Morgengrauen zurück zu sein. Das ist purer Schwachsinn, sofern sie kein Nachtsichtgerät dabei haben. In der Übungsanlage allerdings macht sich die Phase „Spähtrupptätigkeit bei Nacht" recht gut, gaukelt naiven Inspizierenden Aktivität mit romantischem Touch vor und stellt sicher, dass das Kaderpersonal in Ruhe durchschlafen kann (der Inspizierende auch, drum fällt ihm dabei auch nichts auf). Bis auf die wenigen Unglücklichen natürlich, die auf Spähtrupp unterwegs sind und die sich am Morgen fragen, ob ihr Aufklärungsergebnis es wirklich wert war, sich dafür die Nacht um die Ohren geschlagen zu haben.

Selbstverständlich können routinierte Spähtruppkommandanten die Nacht

nützen, um den Raum der B-Stelle zu gewinnen. Aber zur Erkundung der B-Stelle brauchen sie Tageslicht und zur eigentlichen Aufklärungstätigkeit, dem Beobachten, erst recht. Die Nachtsichtferngläser mögen diesen Grundsatz ein wenig relativieren, aber ein Restlichtverstärker ist letztendlich bloß eine (hochwillkommene) Krücke und niemals ein Ersatz für Tageslicht.

Nicht so geübten Spähtrupps sollte man das Tageslicht auch zur Annäherung und zum Rückmarsch gönnen, weil sie sich sonst verlaufen. Dort, wo sich ein Spähtrupp bewegt, ist die Orientierung nicht einfach und wer das Kartenlesen nur aus dem Auto heraus entlang von Straßen übt, der wird als Spähtrupp seine liebe Not haben.

Zwei Beispiele, wie es ausgeht, wenn man diesen Grundsatz nicht beherzigt:

Der Kommandant eines Miliz-Jägerbataillons befahl einer Gruppe, einen sieben Kilometer entfernten Sattel bei Nacht aufzuklären. Der Spähtruppkommandant nickte und zog mit seiner Gruppe los. Etwa 300 Meter weiter warf er sich mit seinem Spähtrupp ins Gebüsch, schlief bis zur befohlenen Rückkehrzeit und flunkerte seinem Bataillonskommandanten etwas über Feind irgendwo vor. Der hatte ohnehin nicht erwartet, dass das Aufklärungsergebnis seinen Kenntnisstand über die Feindlage nennenswert erweitern würde und so waren beide Teile nicht einmal unzufrieden.

Zweites Beispiel: Ein Kompaniekommandant setzte im Zuge einer Übung auf Gegenseitigkeit einen Spähtrupp bei Nacht an, um die Feindfühlung herzustellen und im Morgengrauen angreifen zu können. Tapfer zog der Spähtrupp los. Er marschierte vorschriftsmäßig in Schützenreihe entlang der Straße vor. Die Straße querte eine Wiese und als sie in ein Waldstück mündete, wurde der Spähtrupp angeschossen. Er erwiderte das Feuer und setzte sich ab. Im Ernstfall möglicherweise unter Zurücklassung oder auch Mitnahme von Verwundeten und Toten. Das Aufklärungsergebnis: Feind am Waldrand. War das ein Posten oder einer, der zufällig auf Spatengang war? War es eine Sicherung oder ein Verbindungsspähtrupp? Teil eines Stützpunktes oder einer sWaffenstellung oder ein Widerstandsnest, vielleicht mutterseelenallein an einem Anschlusspunkt? Oder der Nahsicherer einer heranmarschierenden feindlichen Gruppe, vielleicht der Spitzengruppe eines verstärkten Zuges, die Angriffsspitze eines Bataillons? War eine Sperre da, wurden Panzer beobachtet? Achselzucken. Im Grunde konnte der Spähtrupp nur berichten, dass Schüsse gefallen waren. Wer wie oft und von wo nach wohin geschossen hatte – wer kann so etwas bei Dunkelheit schon mit Sicherheit sagen?

Ganz recht! Aber wozu dann einen Spähtrupp hinausschicken?

Ein anderes Aufklärungsergebnis war unter den gegebenen Umständen gar nicht zu erwarten.

Es stimmt schon: Das hier ist eine etwas verkürzte Darstellung – gute Leute klären auch bei Dunkelheit erfolgreich auf. Aber gute Leute wachsen nicht auf den Bäumen, sondern werden mühevoll und aufwändig – aber eben erfolgreich – ausgebildet. Und nach dem Grundsatz „vom Leichten zum Schweren" wollen wir von vorne beginnen.

Wir haben jetzt des langen und breiten dargelegt, wie es – ungeachtet der tätigen Praxis – nicht geht und auch nicht funktionieren kann! Diese Erkenntnis bleibt ohne Wert, wenn man nicht klarstellt, wie es doch geht. Das ist der Zweck dieser Broschüre.

Wenn wir mit unserer Feststellung, dass Aufklärung bei Nacht sinnlos ist, manchen vor den Kopf gestoßen haben, so möchten wir das hier nochmals relativieren: Erfahrene Spähtruppleute bringen auch bei Dunkelheit ein Aufklärungsergebnis zurück. Die Betonung liegt auf „erfahren"!

Wir wollen aber von vorne anfangen und das heißt nun einmal: Aufgeklärt wird bei Tag. Später, wenn wir in den Grundlagen sattelfest sind, soll auch vom Nachtspähtrupp die Rede sein.

So ist es falsch . . .

Ein Spähtrupp war nächtens unterwegs, und das kam so: Eine Kompanie übte mit zwei Zügen auf Gegenseitigkeit. Beide Züge hatten einen Stützpunkt eingerichtet und die Nacht über war Spähtrupptätigkeit angesagt. Der Zugskommandant hatte einen eher blassen Auftrag erteilt und seinen besten Gruppenkommandanten mit dieser Aufgabe betraut. Das war nicht ganz uneigennützig: Der würde mit seinem Spähtrupp etliche Stunden unterwegs sein, weil er seine Aufgabe ernst nahm, und genau so lange würde er selbst ungestört schlafen können, ehe man ihn zur Entgegennahme des Aufklärungsergebnisses weckte.
Und so marschierte unser Spähtrupp die Asphaltstraße bei spärlichem Mondlicht entlang. Als er nach einer Dreiviertelstunde um eine Kuppe herumbog, erkannte der Spähtruppkommandant auf vielleicht 250 Meter den dunklen Schatten eines Gegenhanges mit der Gebüschgruppe, wo sich der feindliche Stützpunkt befinden musste. Das Herz schlug ihm bis zum Hals hinauf und er verhielt seine Schritte. Die Spannung erfasste alle ohne Ausnahme. Das Abenteuer hatte sie gepackt und sie waren live mitten drin.
Das bewirkte aber auch, dass die logische Denkfähigkeit rapide abnahm. Der Mediziner würde eine Kreislaufzentralisierung mit verminderter Gehirndurchblutung konstatieren. Jedenfalls war es das persönliche Beispiel des Spähtruppkommandanten, das diesen unbewusst und wie an einer unsichtbaren Leine mit seinen Soldaten verband. Fast telepathisch ging jeder seiner verhaltenen Schritte auf sie über. Und so standen sie im Rudel, aber nicht zusammengedrängt, auf der Straße. Das hatte weniger mit guter Ausbildung als vielmehr mit dem Blei in den Beinen zu tun, das alle in dieser Lage verspürten.
Das hier war keineswegs ein ängstlicher Spähtrupp und jeder alte Hase in dieser Branche wird solche oder ähnliche Situationen aus seiner Anfängerzeit in Erinnerung haben. Spähtruppgehen ist spannend (wenn man´s einmal kann), man kann sogar richtig süchtig drauf werden.
Davon waren unsere Helden aber noch weit entfernt. Jenseits am Hang blitzte eine Taschenlampe auf, der zuckende Lichtkegel verschwand und kam mehrmals für längere Zeit wieder. Zusammen mit dem hellen Klingen eines Spatens, der gegen einen Stein schlug, ließ sich daraus auf nächtliche Schanzarbeit schließen. Der Spähtrupp hatte damit schon einen Zipfel des Feindes gefasst und brauchte eigentlich nur noch nachzusehen, wie groß das Leintuch war, dessen Ende er in der Hand hielt.
Das tat er auch, allerdings nicht sehr professionell. Er ging zögerlich näher. Dem Späh-

truppkommandanten waren jetzt die Soldaten, die ihn begleiteten, eher eine Last denn eine Hilfe. Es war ihm bewusst, dass er eigentlich Befehle geben oder zumindest durch energische Berührungszeichen kundtun sollte, dass er die Sache voll im Griff hätte. Aber er war viel zu sehr mit sich selbst beschäftigt, als dass er sich auch noch um andere hätte kümmern können. Am liebsten wäre er in diesen Augenblicken alleine gewesen – sein Spähtrupp erschien ihm plötzlich viel zu groß und zu auffällig und er fürchtete, dass ihn ein unbedachtes Geräusch seiner Leute verraten könnte.

Langsam und verhalten kamen sie näher. Die Waffen, die sie zuvor noch als unnötigen und hinderlichen Ballast empfunden hatten, hielten sie nunmehr fest in den Händen.

Einen Stichweg rechts hinunter, durch eine Gehöftgruppe hindurch, über einen schmalen Graben hinüber und den Gegenhang hinauf. Das Zeitgefühl war ihnen verlorengegangen. Die zwanzig Minuten, die das alles dauerte, erschienen ihnen wie Stunden. Auch hatten sie später kaum noch eine Erinnerung an diese Phase, obwohl sie die spannendste von allen war und auch jeder einzelne von ihnen das so empfand. Der Grund dafür liegt in der erwähnten Kreislaufzentralisierung mit Anklängen an eine retrograde Amnesie – ein völlig übliches Stresssymptom. Neu mag es Manchem erscheinen, dass das bei einem läppischen Friedensspähtrupp auch so ist. Aber es ist genau so!

Der Spähtruppkommandant hatte ein wenig die Orientierung verloren, als er sich die ansteigende Wiese hinauftastete. Aber irgendwo da oben musste der Stützpunkt ja sein. Die Taschenlampe, die er zuvor gesehen hatte, war jetzt weg und damit auch jeder Orientierungspunkt verloren. Geräusche waren auch jetzt in größerem Abstand zu vernehmen, doch schienen sie ihm keine Rückschlüsse auf die Lage der Stellungen zuzulassen. Zwar war dort, von woher ein stoßweises Schnarchen zu hören war, ein Gruppenunterstand zu vermuten, dargestellt durch ein Viermannzelt. Manchmal klapperte es oben über die Wiese, wenn ein Posten abgelöst wurde oder jemand auf Spatengang war. Dumpfe Stimmfetzen drangen durch den Wind, wenn jemand zur Postenablöse geweckt wurde und ihm diese unerfreuliche Tatsache nicht rasch genug in seinen Halbschlaf hineindämmerte.

All das aber war für unseren Spähtruppkommandanten das Netzwerk einer feindlichen Umwelt, das er nicht zu deuten vermochte. Es zeigte ihm an, dass überall Gefahr lauerte, aber Details konnte er nicht differenzieren. Und so war er gehörig erschrocken, als er in der Lücke einer Buschzeile auf eine Drahtrolle stieß. Sie führte ihm vor Augen, dass er unmittelbar vor der feindlichen Stellung stand. In seiner Vorstellung spürte er den feindlichen Posten, der ihn schon die ganze Zeit zu beobachten schien, längst im Visier hatte und nur auf eine Gelegenheit wartete, ihn abzuknallen.

Die Stellung war da, aber sie war leer. Doch seine Phantasie hatte Flügel bekommen und war einer logischen Gedankenarbeit nicht mehr zugänglich. Ängstlich setzte er sich ab.

Unser Spähtrupp kam unangefochten zurück. Das Absetzen und der Rückmarsch waren nicht nur flüssig, sondern sogar höchst beschleunigt vonstatten gegangen. Niemand lief, aber jeder einzelne war bestrebt, möglichst rasch viele Kilometer zwischen sich und den Ort dieser nächtlichen Begegnung zu bringen.

Als sie gegen ein Uhr früh bei ihrem Zug eintrafen, schliefen Zugskommandant und Stellvertreter fest in ihren Schlafsäcken. Der Stellvertreter wurde geweckt, er blinzelte den Spähtruppkommandanten an und bedeutete ihm, sich aufs Ohr zu hauen. Das Aufklärungsergebnis könne er auch noch am Morgen nach dem Frühstück melden.

Aufklären heißt Spähen und Spähen heißt Beobachten! Mehr lässt sich in diesen Begriff nicht hineininterpretieren.

Am Morgen gab es dann anderes zu tun und es kam nicht mehr dazu. Und das verhinderte die Erkenntnis, dass dieser Spähtrupp eigentlich gar kein Aufklärungsergebnis hatte. Eine Drahtrolle, eine Taschenlampe und ein paar Geräusche – nichts davon klar zuzuordnen. Mehr als die ungefähre Lage des feindlichen Stützpunktes war bei dem Unternehmen nicht herausgekommen und das war auch vorher schon bekannt gewesen.
Der Spähtrupp hat aber nie zu dem Bewusstsein gefunden, dass er eigentlich umsonst unterwegs gewesen ist. Das gemeinsam bestandene Abenteuer hatte sie mit Stolz erfüllt und auch ein wenig glücklich gemacht. Der Stolz auf diese Leistung verschüttete deren Zweck und den eigentlichen Auftrag.
Dieser Spähtrupp war Selbstzweck und mangelnde Erfolgskontrolle ruinierte die Lehren, die daraus zu ziehen gewesen wären.

Beobachten und Melden sind das A und O des Spähtrupps. Im Bild Schweizer Grenadiere.

2. Die Stärke des Fußspähtrupps

Es ist eine uralte Streitfrage, wie stark ein Spähtrupp gehalten werden soll. Und so unterschiedlich die Anschauungen zu diesem Thema sind, so weitläufig sind auch die Begründungen dazu. Viele davon sind fundiert, wurzeln aber in bestimmten aufklärungsphilosophischen Überlegungen: Für den völlig auf sich gestellten Fernspähtrupp tief im feindlichen Hinterland gelten andere Prämissen als für den einer eingegrabenen Linieninfanteriekompanie, der zwei oder höchstens drei Kilometer vor den VRV hinaus aufklärt und der notfalls das Feuer der schweren Waffen des Bataillons in Anspruch nehmen kann.

Dazu kommen organisationstheoretische Aspekte: In der österreichischen Armee neigt man dazu, den Kommandanten freizuspielen und aus rein handwerklicher Tätigkeit herauszuhalten. Damit kann er sich voll seinen Führungsaufgaben widmen und muss sich nicht in Kleinigkeiten erschöpfen, die seine Kräfte unnütz verzetteln. Dieser Grundsatz hat etwas für sich und spiegelt sich beispielsweise in den neunköpfigen PAR- und ehemaligen Jagdkampfgruppen wieder (ein Kommandant und zwei vier Mann starke Trupps). Auch die Schützengruppe der Fünfzigerjahre hatte eine Stärke von 1:8, also neun Mann.

Allerdings lässt er sich erst auf taktischer Ebene sinnvoll anwenden, wo der Kommandant mit weitgehend autonomen Organisationselementen jongliert. Auf der Ebene von Trupp und Gruppe (und – was immer Vorschriften Gegenteiliges behaupten mögen – weitgehendst auch auf der Ebene des Zuges) ist nicht der managementgewohnte Feldherr, sondern der Polier und Capo gefragt, der Tüchtige aus dem Mannschaftsstand. Es kann nie darum gehen, wieviele „Elemente" ein Spähtruppkommandant benötigt, um seinen Auftrag ausführen zu können.

Aus der US Rangerausbildung und den Stoßtrupperfahrungen der beiden Weltkriege stammt etwa die Vorstellung, Spähtrupps müssten aus Späh-, Sicherungs- und Unterstützungselementen bestehen. Das ist für mittlere und schwere Spähtrupps sinnvoll, die kampfkräftig aufklären oder stoßtruppähnlich vorgehen, nicht aber für auf reine Spähaufklärung beschränkte leichte Spähtrupps.

Der Spähtruppkommandant selbst ist der Aufklärer, der „Oberspäher" sozusagen, und im Prinzip könnte er den Spähtrupp auch alleine laufen, gäbe es da nicht ein paar einschneidende Beschränkungen:

Ausdauer

Wir haben gesagt, dass die alleinige Aufgabe des Spähtrupps die Beobachtung aus der B-Stelle ist. Und folgerichtig ist der Spähtrupp genauso viel wert, wie er Beobachtung aufrechterhalten kann.

Lediglich eine Straße zu überwachen ist einfach und strengt kaum an: Alles, was sich auf ihr bewegt, hebt sich gut von ihrem planen und hellen Untergrund ab und springt sofort ins Auge. Ganz wesentlich anstrengender ist die Beobachtung von Waldrändern, Ortschaften oder getarntem Feind, die an Auge und Wahrnehmung höchste Ansprüche stellt und dementsprechend rasch ermüdet. Wir haben es erlebt, dass man nach zehnminütigem angestrengten Beobachten fix und fertig sein kann.

Daher benötigt der Beobachter eine Ablösung, um sich zu erholen. Häufigkeit der Ablösung und Dauer der B-Schicht müssen wechselnden Anforderungen entsprechen, doch kommt man auf die Dauer nicht umhin, Normen festzulegen. Nach zwei Stunden ist im Infanteriegelände jeder Beobachter ablösungsbedürftig. In einer beispielsweise schneebedeckten Ebene, in der jeder Fremdkörper automatisch den Blick auf sich zieht, mag das anders sein. Zur Norm zählt es aber sicherlich nicht.

Die Aufmerksamkeit eines Beobachters ist frontal gebunden; er benötigt daher einen Rückwärtssicherer, sowohl in der B-Stelle als auch bei der Annäherung und dem Absetzen. Im Bild Spähtrupp 31 des Aufklärungszuges 8 bei der RVÜ 1986.

Sicherheit in der B-Stelle

Es gilt der Grundsatz, dass eine B-Stelle ständig von zwei Mann besetzt zu sein hat. Keinesfalls deshalb, damit sich beide angeregt unterhalten können (worin eine nicht unbeträchtliche Gefahr liegt). Einer der beiden ist der Beobachter, der zweite der Rückwärtssicherer. Der Grund dafür ist einleuchtend: Der Beobachter, der sein Geld wert ist, konzentriert sich auf das Aufklärungsziel bzw. den zu überwachenden Geländeabschnitt und merkt nicht, wenn sich Feind in seinem Rücken nähert. Genau das wird ein zielstrebiger Feind aber tun: Wenn er alle Waldränder abklappert, von denen aus er einzusehen ist, dann muss er den feindlichen Aufklärer einfach erwischen; woanders kann er gar nicht sein!

Nun ist das „Erwischen" einer gut getarnten B-Stelle auch am Waldrand nicht so einfach, wenn sich der Beobachter richtig und gefechtsmäßig verhält und sich nicht just dann schneuzt, wenn der Feind an ihm vorbeizieht. Und damit das möglich ist, gibt es den Rückwärtssicherer. Dieser dient auch dazu, den ermüdeten Beobachter abzulösen, ohne dass die B-Stelle verlassen oder von der Ablösung aufgesucht werden muss. Damit wird Bewegung vermieden und der Spähtrupp bleibt unauffälliger.

Nun ist es aber bei den Fernspähern – und das sind die Elitespäher schlechthin – mancher Armeen durchaus üblich, B-Stellen nur mit einem einzigen Mann zu besetzen. Dabei ist aber zu bedenken, dass sie unter bestimmten Zwängen stehen, die der gewöhnlichsterbliche Aufklärer nicht kennt: Das unerkannte Ein-

Drei Mann sind die Mindeststärke eines Spähtrupps, weil nur sie eine Rundumsicherung ermöglichen.

schleusen in die Tiefe des feindlichen Dispositivs ist außerordentlich schwierig. Je weniger Männer im Fernspähtrupp, desto besser. Geforderte Aufklärungsdichte und vorhandene Kapazitäten bei den Lufttransportmitteln sind zusätzliche und meist einschneidende Vorgaben. Zudem sind Fernspäher sorgfältig ausgewählt, gründlich ausgebildet und haben eine mehrjährige Dienstzeit hinter sich. Sollten Sie SAS-Leute oder Spetsnaz in Ihrem Spähtrupp haben, dann besetzen Sie Ihre B-Stelle getrost mit einem Mann. Wir Menschen des Durchschnitts sollten uns der Zweimann-B-Stelle befleißigen. Wir haben es zu oft erlebt, dass einer allein am Waldrand ausgehoben wurde. Mit dem Fernglas in beiden Händen und den Blick auf das Aufklärungsziel fokussiert, ist er so gut wie wehrlos.

Damit benötigt der Fußspähtrupp zwei Beobachtungsschichten zu je zwei Mann, insgesamt also vier. Soll er über einen längeren Zeitraum hinweg beobachten (die US Light Cavalry sieht die Grenze bei 12 Stunden, wir würden sie bei 24 annehmen), dann müssen es drei Schichten – also sechs Mann – sein.

Sicherheit bei der Annäherung

Bis zum Beziehen der B-Stelle muss sich der Spähtrupp annähern, danach wieder absetzen. Das sind die schwierigsten und auch gefährlichsten Phasen eines Aufklärungsunternehmens, weil man sich eben bewegt und damit exponiert. So wie die Verteidigung die stärkere Kampfart ist, weil der Schütze eingegraben ein

Vierköpfiger Spähtrupp (Jagdkommando 1970): In der B-Stelle muss ein Spähtrupp mindestens vier Mann stark sein, also zwei sich ablösende Beobachtungsschichten. Nachdem der Dienst in der B-Stelle Sinn und Zweck des Spähtrupps ist, bedeutet das gleichzeitig seine Mindeststärke.

kleineres Ziel bietet und dabei seine Waffe auflegen und mit ihr treffsicher schießen kann, so ist auch der Dienst in B-Stelle und Versteck die stärkere, weil ergiebigere und sicherere Phase der Aufklärungstätigkeit. Dennoch muss sich der Spähtrupp zum Annähern und Absetzen auch gesichert bewegen können und wir wollen sehen, wie stark er dazu sein muss.

Nachdem der Spähtrupp nirgends angelehnt, also auf sich selbst gestellt vorgeht, wählt er dazu am besten eine Gefechtsform von der Art des Schützenigels. Er muss sich ja nach allen Richtungen hin absichern.

Am gefährdetsten ist er zweifellos von vorne, denn das ist ja die Feindrichtung und daher wird er nach vorne am stärksten sein müssen. Daher gehen an der Spitze zwei Späher nebeneinander vor, die sich so gegenseitig unterstützen können – sozusagen wie zwei Nahsicherer. Diese Einrichtung kennen etwa die Amerikaner nicht; sie verwenden statt dessen einen einzelnen „point man" (Spitzenmann) und ein Spitzenmann muss der auch sein, weil ihm bei Gefahr kein Mensch helfen kann. Er marschiert ja geradewegs vor der Mündung des folgenden Soldaten.

Lässt man nun den beiden Nahsicherern einen dritten Mann als Rückwärtssicherer folgen, so ist eine brauchbare Rundumsicherung gegeben. Und das ist somit

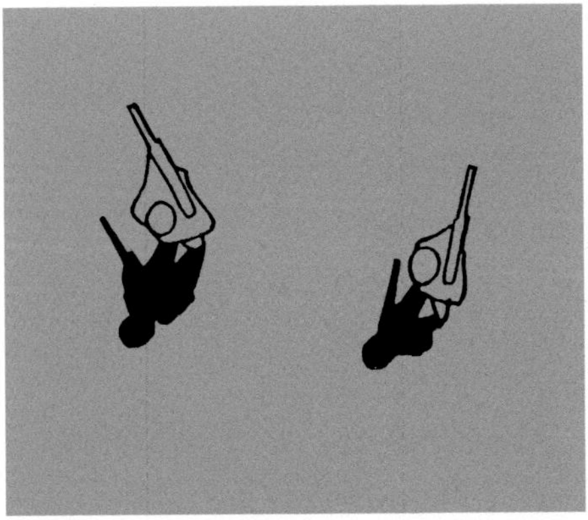

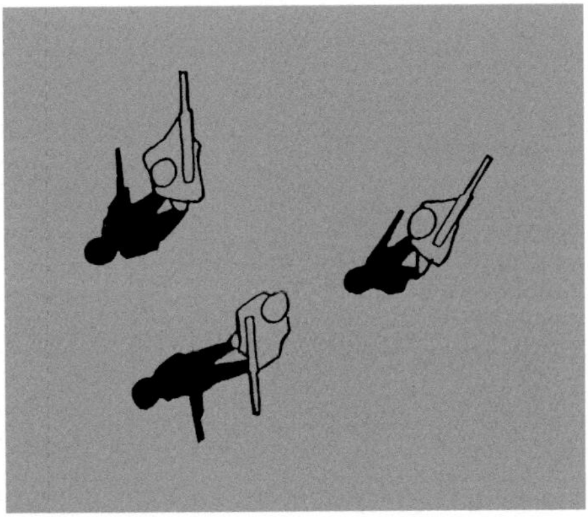

Links: Zwei Nahsicherer gehen nebeneinander vor und können sich so gegenseitig unterstützen. Rechts: Hier sichert der dritte Mann nach rückwärts; diese Gefechtsform nennt man „Y" oder auch „Krähenfuß".

die Mindestkopfzahl, weil sich erst drei Mann rundum sichernd bewegen können.

Alles in allem lässt sich folgendes Resümee ziehen: Die Mindeststärke eines Fußspähtrupps beträgt drei Mann, darunter geht überhaupt nichts. Diese drei Mann sind nötig, um sich gesichert bewegen zu können. Ein solcher Spähtrupp kann aber nicht lange beobachten, er besitzt zu wenig „Aufklärungsausdauer". Die Normstärke beträgt folgerichtig vier Mann. Dieser Spähtrupp kann sich gesichert bewegen, Beobachter und Rückwärtssicherer können in der B-Stelle abgelöst werden. Dauert die Aufklärung voraussichtlich länger als 24 Stunden, so muss der Spähtrupp sechs Mann, d.h. drei sich ablösende Schichten stark sein.

Nun ist zuzugestehen, dass es eine am grünen Tisch nicht bewertbare Einflussgröße gibt, die gewichtig sein kann: Das nämlich, was man wissenschaftlich „intersoziale Aktionen" oder einfach Gruppendynamik nennt. Auf den Punkt gebracht: Verlässlichkeit und Kameradschaft. Lieber zu dritt und mit verlässlichen Leuten unterwegs als einen vierten Nasenbohrer mitschleppen, der ein Hemmschuh ist. Hat man so einen Burschen dabei, wird die eigene Erholungsphase um nichts länger – im Gegenteil: Man muss auf ihn aufpassen und obendrein auch noch seine Arbeit selber miterledigen. Da kann er gleich zu Hause bleiben.

An den vorhin dargelegten Grundsätzen ändert das überhaupt nichts: Die Mindeststärke eines Spähtrupps beträgt drei Mann und die Vernunftstärke mindestens vier.

Gruppendynamische Aspekte

Die Anzahl der Individuen in der Primärgruppe (also im Spähtrupp) hat auch einen gruppendynamischen Aspekt

Bei drei Mann bildet sich bei Meinungsverschiedenheiten stets eine Mehrheit, bei vier Mann nicht mehr. Es besteht die Gefahr eines Patts und daher muss der Kommandant den Ausschlag geben. Voraussetzung dazu ist, dass er die anderen an

Dreiköpfige Patrouille der sowjetischen Grenztruppen: Drei Mann sind das absolute Minimum, um sich rundherum gesichert bewegen zu können. Ein Hund kann den fehlenden vierten Mann allerdings unter bestimmten Umständen wettmachen.

Können, Erfahrung und auch Reife überragt. Das ist in einer Massenarmee absolut nicht selbstverständlich, gründet sich die Kommandantenfunktion doch oft nur auf längere Dienstzeit und wirkliche Spähtrupperfahrung hat kaum einer; auch (und erst recht) die nicht, die den Einsatz von Spähtrupps befehlen. Es ist schlichtweg ein Irrtum zu glauben, dass beim Einsatz eines auf sich gestellten Spähtrupps die Kraft des Dienstgrades auf Dauer ausreicht, um sich durchsetzen zu können. Diejenigen, die das Zeug dazu nicht besitzen, müssen sich die Gefolgschaft mit der Gewährung von Bequemlichkeiten erkaufen. In kritischen Lagen muss so etwas unweigerlich ins Auge gehen. Wenn es darauf ankommt, ob man eine Lichtung schnurstracks überqueren oder zeit- und kraftraubend umgehen soll, dann spielt die Akzeptanz des Kommandanten die entscheidende Rolle.

Ein vierköpfiger Spähtrupp hat aber auch den nicht zu unterschätzenden Vorteil, dass der Kommandant in die Arbeit voll eingebunden ist und nichts auf seine

Ein fünfköpfiger Fußspähtrupp des englischen Territorial SAS.

Leute abschieben kann. Er kann sich nicht in das Schneckenhaus von Befehlen und Überwachen zurückziehen, sondern muss Hand anlegen wie die übrigen auch. Einer, der nicht mehr als den Dienstgrad vorzuweisen hat, ist zum Scheitern verurteilt. Das hat auch seine gute Seite daran, dass sich die Spreu vom Weizen rasch scheidet und unfähige Spähtruppkommandanten bald aufgeblättert sind.

Bei fünf Mann Stärke kommt es zwar auch zu eindeutigen Mehrheiten wie bei allen Primzahlen, aber es ist auch die Verlockung groß, dass der Spähtruppkommandant nur noch seine beiden Zweimanntrupps herumkommandiert und sich selbst von der Arbeit fernhält (was ihm seine Leute auf Dauer sicher nicht hono-

Der motAufklärungstrupp des Bundesheeres umfasst sechs Mann und das ist eine ausgewogene Kopfstärke, die einen Dienst in der B-Stelle in drei Schichten zulässt. Mehr sollten es allerdings nicht sein, weil sonst das Sozialgefüge innerhalb der Primärgruppe zu kompliziert wird und soziale Interaktionen nur gebremst greifen. Wenn andere Primärgruppen stärker sind (beispielsweise die achtköpfige Jägergruppe), so ist die Ursache dafür in einer integrierten Personalreserve zu suchen. Auch ihre Mindeststärke beträgt sechs Mann (so war das in den alten Organisationsplänen vor der Reform 72 ausgeworfen), sie sollte aber nicht bei jedem Ausfall sofort ihre ganze Kapazität einbüßen und war daher stärker gehalten. Für Spähtrupps gelten solche Überlegungen nicht, weil Kampf nicht zu ihren Aufgaben gehört.

rieren). Es ist die Vision vom Unteroffizier in der Messe und zwei Trupps bei der Arbeit nicht allzuweit hergeholt. (Nicht, dass es bei den Offizieren grundsätzlich anders wäre, aber wir sprechen hier eben von Spähtruppkommandanten.) Er wird es allzu rasch bequemer finden, den Tag im Versteck zu verschlafen und sich von den abgelösten Beobachtern Bericht erstatten zu lassen. Früher oder später verlässt er dazu nicht einmal mehr den Schlafsack. Hat er erst Routine erworben, ist es auch damit vorbei und die Sache läuft darauf hinaus, dass er sich im nächsten Bauernhaus ins Fernsehprogramm vertieft, während ein Trupp im Heu schläft, der zweite sich vor der Türe langweilt und das Ganze dann mit der Tarnung vor technischen Aufklärungsmitteln begründet (und geglaubt) wird.

Der sechsköpfige Spähtrupp ähnelt in seiner soziologischen Struktur wieder sehr dem vierköpfigen, verlangt aber vom Kommandanten erhöhte Qualitäten, weil er ja nicht mehr bloß drei, sondern fünf Mann von seinen Fähigkeiten überzeugen muss und die Möglichkeit, dass ein Quertreiber darunter ist, um 40% zugenommen hat. Auch dauert es wegen der höheren Kopfzahl länger, bis der Spähtrupp zu einer Kameradschaft zusammengewachsen ist.

Einzelgänger

Nicht verschwiegen werden soll, dass es auch herausragende Späher gegeben hat, die grundsätzlich alleine aufgeklärt und jede Begleitung kategorisch abgelehnt haben. Ich wüsste aber aus der überlieferten Kriegsgeschichte nur drei zu nennen: Frederick Burnham, Chris Schollenberg und W. H. McBride.

Schollenberg kämpfte in den Siebzigerjahren in Afrika und steht den Anforderungen des modernen Gefechts näher als Burnham, der im „Wilden Westen" der USA und auch in Südafrika als Scout tätig war (die völlig anderen Geländegegebenheiten muss man ohnehin außer Betracht lassen). Chris Schollenberg („Schulie") war gebürtiger Südafrikaner, der während des Bürgerkriegs in der Rhodesischen Armee auf der Basis eines Sonderkontraktes diente. Er war als Oberleutnant Aufklärer im Aufklärungszug des Selous Scouts Regiments, lehnte eine Tätigkeit als Zugskommandant kategorisch ab und lief seine Spähtrupps grundsätzlich alleine. Er begründete das so:

Captain Chris Schollenberg von der C-Squn/SAS und später Selous Scouts Regiment war vermutlich der erfolgreichste Späher der jüngeren Kriegsgeschichte. Für seine herausragenden Leistungen im Aufklärungsdienst wurde er 1978 mit der höchsten rhodesischen Kriegsauszeichnung dekoriert, dem Grand Cross of Valor.

- Aus der Fußspur eines einzelnen Mannes schließt niemand auf die Anwesenheit eines einzelnen Aufklärers;
- ein einzelner Mann benötigt ein viel kleineres Versteck als ein ganzer Spähtrupp: das zusammengedrückte Savannengras deutet eher auf eine Sasse von Niederwild als auf das Biwak eines Menschen;
- ein Mann alleine lebt ständig mit angespannten Sinnen und kann niemals abschalten; das erhöht seine Sicherheit.

Schollenberg erhielt 1978 für seine phantastischen Aufklärerleistungen im Rhodesischen Bürgerkrieg das insgesamt nur zweimal (davon einmal posthum) verliehene Grand Cross of Valor. Für ihn waren seine Spähtruppeinsätze zweifellos maßgeschneidert. Aber ob sie auch für gewöhnlich Sterbliche taugen, das ziehe ich in Zweifel.

Frederick Russell Burnham wuchs am Rande des Sioux-Reservats in Minnesota auf und erlernte das Späherhandwerk im Messen mit kompetenten Gegnern. Als er nach Afrika ging, schloss er sich den frühen Siedlern an und musste in den Matabele-Kriegen unter Beweis stellen, was er im „Wilden Westen" gelernt hatte.

Major Frederick Russell Burnham, im Bild etwa 1926. Er kämpfte als Scout in Afrika in den Matabele-Kriegen und Burenkriegen. Geboren 1861 am Rande des Sioux-Reservats in Minnesota, hatte er im Westen das Späherhandwerk in den Indianerkriegen mit höchst kompetenten Gegnern erlernt.

Scout Burnham, vom ebenfalls im Matabelekrieg bewährten englischen Major Baden-Powell gezeichnet.

Herausragendes Merkmal tüchtiger Späher war immer ihre unerhörte Konzentrationsleistung. Burnham erinnert sich daran, als er im ersten Matabelekrieg die Spur des Matabelekönigs Lobengula nach Bulawayo, der „Stadt des Todes", verfolgte: „Wir ritten langsam, weil kleine Büsche in der Nacht wie ein ganzer Wald aussehen und wir alle paar Minuten anhielten und alle unsere Sinne einsetzten, um den Gegner zu erahnen, und die Nüstern unserer Pferde und jede Bewegung ihrer Ohren und jedes Zucken ihrer Halsmuskeln beachteten. Hinzu kommt, dass man jeden Schritt nach vorne im Kopf registrieren musste, weil man die nachts vorgepirschte Strecke bei Tag im Galopp wieder zurück ritt – in diesem Land und zur damaligen Zeit war ein Scout unweigerlich verloren [wenn er das nicht beherrschte]."

Herbert W. McBride war 1914 Captain in der Indiana National Guard. Als die USA vorerst nicht in den Ersten Weltkrieg eintraten, verließ er enttäuscht die Nationalgarde, weil er als begeisterter Schütze sich um die Chance seines Lebens gebracht sah, sein Schießkönnen in der Prüfung des Ernstfalls unter Beweis zu stellen. Er wanderte nach Kanada aus und trat als einfacher Soldat (Private) in das 21. Bataillon der Canadian Expeditionary Force ein. Den Ersten Weltkrieg erlebte er ab 1915 an der Westfront in Flandern. Er diente sich wieder zum Offizier hoch und legte seine Erfahrungen in dem Buch „A Rifleman Went to War" nieder.

Es war die Zeit, in der die Front in den Schützengräben festgefroren war und Bewegungen nur in Großoffensiven oder in nächtlichen Patrouillengängen möglich waren. McBride nahm an zahllosen derartigen Schleichpatrouillen teil und er bewährte sich darin vor allen anderen. Allerdings kam anlässlich eines einschneidenden Erlebnisses auch er zur Überzeugung, dass es (für ihn) zweckmäßiger war, allein unterwegs zu sein: Sie waren zu dritt auf Spähtrupp und stießen im Niemandsland auf einen gruppenstarken deutschen Spähtrupp. Es schien zu gelingen, die Deutschen unerkannt vorbeizulassen. Da verlor einer der Kanadier die Nerven, warf eine Handgranate und tötete damit einen Deutschen und sich selber. Jetzt mussten es die beiden übrigen Kanadier mit sechs oder sieben Gegnern im Nahkampf aufnehmen und nur mit viel Glück gelangten sie zu den eigenen Stellungen zurück. „Seit diesem Erlebnis ging ich lieber alleine hinaus. Als später der Befehl kam, niemand dürfe mehr alleine auf Spähtrupp gehen, musste ich notgedrungen einen zweiten Mann mitnehmen. Aber der war immer nur ein Alibi. Ein Mann allein kann tun, was er für richtig hält – solange ihn nicht eines der ungezielt abgefeuerten Projektile oder Splitter trifft, die immer in der Luft sind. Sind aber zwei oder drei Mann beisammen, muss einer auf den anderen Rücksicht nehmen und immer befürchten, mit selbständigem Handeln die Pläne des Kameraden ungewollt zu durchkreuzen."

Herbert W. McBride als Captain in der Indiana National Guard. Er war begeisterter Schütze und trat in die Canadian Expeditionary Force als einfacher Soldat ein, um seine Schießfertigkeit im Ernstfall zu erproben. Er sammelte seine Spähtrupperfahrungen im Stellungskrieg an der Westfront im Ersten Weltkrieg.

McBrides Motiv, allein auf Spähtrupp zu gehen, lag in der mangelnden Verlässlichkeit seiner Begleiter. Er war ein herausragender Soldat, zäh und entschlossen; mit ihm Schritt zu halten, mag tatsächlich einen Charakter erfordert haben, wie er unter den Menschen nur spärlich verteilt ist. Bei uns stellt sich dieses Problem nicht, weil es in der Ausbildung möglich sein sollte, Spähtrupps zusammenwachsen zu lassen. Dennoch machen wir immer wieder die erstaunliche Beobachtung, dass dann, wenn es gerade besonders spannend wird, Spähtruppkommandanten dazu neigen, ihre Leute zurückzulassen und alleine vorwärtszupirschen. Lauter verkappte Burnhams, Schollenbergs und McBrides?

Keinesfalls! In der Regel sind das nur schlecht ausgebildete und unerfahrene Spähtruppkommandanten, die am Feind mit sich selbst und ihrer Angst so beschäftigt sind, dass sie ihre Kameraden im Spähtrupp als Last empfinden, um die sie sich nicht auch noch kümmern können oder wollen. Oder um es mit Wieslaw Brudzinsky auszudrücken: Wer sich im Dunkeln unfreiwillig von der Herde entfernt hat, ist noch lange kein Individualist!

Man darf nicht vergessen, dass der Spähtrupp als Kollektiv Aufgaben wahrnimmt, die ein Mann allein nicht oder kaum bewältigt: Nämlich Rundumsicherung und Ablösung beim Beobachten. Womit sich der Kreis schließt: Denn dazu braucht man mindestens drei Mann, vernünftigerweise vier und mehr als sechs sollen es auch nicht sein, weil sich die dann gegenseitig im Weg stehen.

Spähtrupp englischer Fallschirmjäger in Oosterbeck bei Arnheim 1944.

3. Das Vorgehen des Spähtrupps

Unser Spähtrupp hat seine Sache bisher gut gemacht. Der Spähtruppkommandant hat an Hand der Karte einen „Raum für die B-Stelle" ausgewählt, von dem aus er voraussichtlich Einblick in das Aufklärungsziel haben wird. Voraussichtlich, denn an Ort und Stelle kann man seine Überraschungen erleben. Aber wenn man nicht mehr hat als die Karte (und mehr hat man fast nie), dann muss man sich eben bescheiden.

Diesen Raum der B-Stelle gewinnt der Spähtrupp jetzt, wobei er zur Annäherung ein Gelände nützt, an dem der Feind kein Interesse hat und wo zu erwarten ist, dass die Bewegung ungestört erfolgen kann. In der Praxis heißt das: Querbeet durchs Gemüse.

Etwas niveauvoller ausgedrückt: Immer mitten im Wald! Der Wald nimmt dem Feind die Sicht und wen er nicht sieht, dem kann er auch nicht lästig werden. Der mechanisierte Feind hat am Waldgelände absolut kein Interesse, weil dieses ihm eine volle Entfaltung seiner Feuerkraft verwehrt und obendrein auch noch seine Bewegung hemmt. Er bevorzugt für seinen Angriff offenes Gelände, im Gebirge zumindest breite Trogtäler, wo er mechanisiert auffahren und in voller Breite entfaltet seine Waffen zur Wirkung bringen kann. Obendrein besitzt er hochentwickelte optronische Beobachtungsmittel wie Gefechtsfeldradar, Wärmebild und Restlichtverstärker und auch deren Einsatz wird vom offenen Gelände begünstigt. Und ebendieses meidet der Spähtrupp wie der Teufel das Weihwasser.

Dasselbe gilt grundsätzlich auch für verbautes Gebiet: Es bietet massive Maskierung, Unübersichtlichkeit, kurze Beobachtungs- und Schussentfernungen, mithin gute Deckung und Tarnung, für den Feind scharfe Beschränkungen beim Einsatz technischer Beobachtungsmittel und daher beste Möglichkeiten, sich unerkannt zu bewegen. Allerdings ist verbautes Gebiet der Lebensraum des Menschen, das diesen wegen seiner infrastrukturellen Vorteile magisch anzieht, und aus diesem Grund kann der Spähtrupp trotz allem dort nicht unentdeckt bleiben. Folglich meidet er auch dieses Gelände.

Zwar meint man gelegentlich, vor der eigenen Bevölkerung könne sich ein Spähtrupp durchaus blicken lassen. Ich halte dagegen, dass

- die eigene Bevölkerung nicht nur aus loyalen Personen besteht und
- ein Spähtrupp nicht nur mutwillig, sondern auch unabsichtlich (fahrlässig) durch Geschwätzigkeit und unbegründete Vertrauensseligkeit, aber auch durch Zufall verraten werden kann.

Außerdem: Auch der Feind hat ein massives Interesse an einem Dach über dem Kopf. Bei Schlechtwetter spielen sich Kämpfe oft nur um wetterfeste Quartiere ab. Und deshalb stößt man im verbauten Gebiet auch am ehesten auf Feind. Und deshalb weicht man dem verbauten Gebiet zur verdeckten Annäherung als Spähtrupp tunlichst aus.

Im Wald ist es feucht und ungemütlich. Darum zieht es auch nur wenige Menschen wirklich dorthin. Und eben darum ist man dort weitgehend allein – sofern man sich abseits von Wegen hält.

Freilich sichert sich der Feind gegen Überraschungen aus dem bedeckten Angelände ab und schiebt Sicherungen hinaus. Die sitzen aber an den Forststraßen, weil sie mit ihren Schützenpanzern dorthin fahren. Nicht nur, weil sie zu faul sind, um zu Fuß zu gehen – sie wollen auch auf ihre schweren Bordwaffen zur Feuerunterstützung nicht verzichten. Und der Umkehrschluss ist zwingend: Wenn der Spähtrupp die Forststraßen meidet, dann wird ihn der Feind bei der Annäherung auch nicht entdecken.

Der Teufel liegt im Detail: Quer durch den Bergwald marschiert es sich zwar sicher, aber auch schweißtreibend. Die Kondition wird gefordert und schwache Oberschenkelmuskeln ächzen. Ich habe schon zu viele ausdauernde Wanderer erlebt, die sich marschtüchtig glaubten, aber bei einem simplen Spähtrupp in die Knie gegangen sind. Und auch die militärische Marschausbildung spielt sich nach meinem Geschmack viel zu sehr auf Wegen und Straßen ab, auf denen man nie die Beine heben muss, um über Baumwurzeln zu steigen, bei denen man nie tautriefende Jungwaldschonungen queren muss und die beständiges Bergrauf und Bergrunter meiden.

Ein Spähtrupp pirscht sich in offenem Gelände am Wolchow 1942 an den Feind.

Auf Spähtrupp passiert aber genau das und man latscht buchstäblich über sieben Hügel, bis man ein paar hundert Meter Annäherung geschafft hat. „Sinnlose Leuteschinderei!" schnaubt da der unbedarfte Militär und weist zur Forststraße, die um den Berg herumführt statt über ihn drüber. „Ein Kommandant mit Herz für die Truppe!" loben ihn unbedarfte Spähtrupps, schreiten erleichtert und dienstbeflissen aus – und laufen dem Feind ins offene Messer! Wo sonst als an der Forststraße soll er denn sitzen?

Es ist schon wahr, dass immer wieder Spähtrupps entlang von Forststraßen durchkommen: Immer dann nämlich, wenn kein Feind da ist. Ist er aber da – keine Chance!

Im Frieden nimmt man diese Sache immer viel zu locker, weil die Knallpatronenschlacht keine Schrammen hinterlässt. Im Ernstfall sieht die Sache weniger rosig aus. Wenn sich der erste brüllend mit einem Bauchschuss am Boden wälzt, dann wird zu spät klar, dass man besser einen Muskelkater riskiert hätte. Wer realistische Spähtruppausbildung betreibt, dem muss bewusst sein, dass er seine Männer darauf zu trainieren hat, worauf es ankommt: Auf den ausdauernden Marsch quer durchs Gehölz unter völligem Verzicht auf die Benützung von Wegen; bergauf und bergab, immer unter der Beschirmung der Bäume und der Maskierung des Buschwerks. Das ist bei unseren dicht erschlossenen Wirtschaftswäldern gar nicht so einfach, weil man andauernd auf Wege stößt. Sie überqueren – meist geht es nicht anders. Sie benützen – niemals!

Spähtruppgehen ist etwas für reife Männer. Hurra-Rambos sollten in ihren Schützenlöchern bleiben.

Nun mag man einwenden: Abseits von Wegen im Wald, da macht man viel zu viel Lärm!

Ist nicht wahr! Freilich darf man nicht wie eine Stampede durchs Holz trampeln. Hereinhängende Äste etwa wischt man nicht mit der Schulter weg, sondern ergreift sie, biegt sie vorsichtig zur Seite, drückt sie dem Hintermann in die Hand und schon geht es hübsch lautlos. Als Bonus kriegt der Nachfolgende den zurückwippenden Ast nicht ins Auge und ist dafür dankbar. Es erübrigt sich, zu erwähnen, dass dabei die Wipfel nicht wackeln dürfen, sonst hat man dem Feind Bescheid gesagt.

Lassen Sie einmal einen Spähtrupp in 50 Meter Entfernung an sich vorübergehen. Es sollte schon einer sein, der nicht gleich auf den einzigen dürren Ast im weiten Umkreis drauflatscht, der nicht mit dem Feldschuh gegen jeden aufragenden Stein stößt, weil er zum Fußeheben zu faul ist und der den Lauf seiner Waffe nicht gegen jeden zweiten Baumstamm knallt. Wenn sich der Spähtrupp aber nur einigermaßen vernünftig verhält, dann wird er auf fünfzig Meter nicht zu hören sein und wenn er schon ein wenig geübt ist, dann auch nicht auf zwanzig.

Eine harte Nuss sind Laubwälder. Dem dürren Laub am Boden kann man nicht ohne weiteres ausweichen und das herumliegende Geknäck erzeugt schon beachtliche Geräusche. Dennoch kein Grund zur Panik. Laubwälder haben meist wenig Unterholz und man sieht fast immer weiter, als das Laubrascheln zu hören ist. Ausprobieren!

Trotzdem meidet man Laubwälder, wo immer es geht. Immer geht´s halt nicht. Muss man beispielsweise mit schwerem Rückengepäck durch trockenes Unterholz, dann bleibt nichts anderes übrig, als diesen Geländeabschnitt zu umgehen. Und auch die Nacht hat in dieser Hinsicht eigene Gesetze. Aber wir reden hier von der Bewegung des Spähtrupps bei Tag.

Insgesamt lässt sich also sagen: Abseits von Wegen im Wald macht man vielleicht ein bisschen mehr Lärm als am Weg, dafür ist dort aber auch kein Feind, der einen hören könnte. Zu ergänzen wäre vielleicht noch, dass Geübte auch im Unterholz nicht mehr Lärm machen als auf dem Weg.

Ein gut getarnter Spähtrupp der Roten Armee pirscht im Zweiten Weltkrieg überschlagend vor.

Die zweite Sicherung dagegen, dass ein aufmerksamer Feind einen raschelnden Spähtrupp entdeckt, sind Beobachtungs- und Horchhalte, die zur elementaren Spähtrupptechnik gehören wie das Salz zur Suppe: Der Spähtrupp hält und beobachtet rundum mit B-Schwergewicht in Annäherungsrichtung. Das tut er so

Ein SAS-Spähtrupp im malayischen Dschungel.

lange, bis der Spähtruppkommandant sicher ist, dass im einzusehenden Gelände vor ihm kein Feind sitzt. Das dauert seine Zeit, aber für gehetzte Gemüter taugt der Aufklärungsdienst ohnehin nicht. Dann erst pirscht der Spähtrupp weiter und ehe der den zuvor „abgespähten", d. h. durch Beobachtung aufgeklärten und für feindfrei befundenen Sektor verlässt, legt er das nächste B-Halt ein. Auf diese Weise tappt er nie in ein unbekanntes Gelände und nie in eine Falle.

Solche B-Halte passieren folgerichtig häufig. Umso häufiger, je kürzer die Sichtweite bzw. je dichter der Wald ist. Der Spähtrupp geht damit also in „Sprüngen" vor, jeder „Sprung" ist so groß wie die Sicht reicht. Der Ausdruck „Sprung" darf

hier aber keinesfalls suggerieren, dass er im Laufschritt erfolgt! Ein Spähtrupp läuft niemals und unter keinen Umständen!

Bleibt zu wiederholen: B-Halte sind oft und häufiger als die eigentliche Bewegung. Schon ein altes Jägersprichwort besagt, dass der pirschende Jäger „mehr pirschen steht als pirschen geht".

Und was, wenn die Sichtweite so gering ist, dass man überhaupt nicht mehr vom Fleck kommt? Dann wird der B-Halt durch den Horchhalt ersetzt! Der Spähtrupp horcht in das unbekannte Gelände vor sich hinein und geht in Sprüngen vor, die der Horchtiefe entsprechen. Bei Dunkelheit ist das überhaupt die Regel.

Nun könnte man einwenden: Was ist, wenn dem Spähtrupp ein gut getarnter Feind auflauert, der nicht zu sehen ist und sich auch nicht durch Geräusche verrät?

Dort, wo der Spähtrupp richtigerweise seinen Weg nimmt, dort gibt es keinen gut getarnt lauernden Feind. Wem sollte er denn auflauern? Sollte er darauf vertrauen, dass just an dieser Stelle irgendwann einmal ein Spähtrupp vorbeikommt? Wieviele Stellen gibt es, an denen irgendwann einmal ein Spähtrupp vorbeikommen könnte? Wird der Feind sie alle lückenlos überwachen können? Nein, der Grundsatz von der Ökonomie der Kräfte gilt auch für den Feind! Der sitzt auf der freien Fläche, allenfalls an der Forststraße.

Nachdem es keine Regel ohne Ausnahme gibt – erst recht nicht im Krieg – so ist hier wohl eine geringfügige Einschränkung anzubringen: Man kann auch einmal Pech haben. Aber nicht, weil dort ein Scharfschütze seit anderthalb Jahren geduldig ausharrt, bis man selbst endlich abseits des Weges auftaucht. So etwas passiert nicht. Wahrscheinlicher ist es schon, dass einem ein feindlicher Spähtrupp entgegenkommt, der dieselbe Überlegung angestellt hat. Oder auch ein zurückgehender eigener, der einen für Feind hält. Eventuell auch ein feindlicher Verbindungsspähtrupp, der zu einem einsamen Widerstandsnest an einem abgelegenen Anschlusspunkt unterwegs ist. Aber auch die halten sich fast immer an vorhandene Wege; ein einziges Mal habe ich erlebt, dass so einer quer über eine Wiese marschiert ist, aber quer durch den Wald? Kaum.

Und wenn´s doch einmal passiert, dann muss man eben besser sein als der Feind. Das ist ja nichts, was neu wäre. Benützt man jedenfalls Wege, dann passiert´s mit Sicherheit – sofern ein Feind da ist.

Zusammenfassend: Der Spähtrupp meidet Feindberührung, indem er sich im Wald abseits von Wegen bewegt – querwaldein sozusagen. Dabei legt er ausgiebige B- und Horchhalte ein und bewegt sich in „Sprüngen" immer nur so weit, als es der Beobachtungs- und Horchtiefe entspricht.

Unerfahrene Spähtrupps werden dieses doch ein wenig strapaziösen Verfahrens rasch überdrüssig, genehmigen sich Ausnahmen – und geraten prompt in eine Schießerei. Deshalb ist für Spähtruppsoldaten auch eine solide Schieß- und Nahkampfausbildung so unendlich wichtig. Ist der Spähtrupp aber erst einmal routiniert, dann passiert ihm keine ungewollte Feindberührung mehr und er kriegt einen Riecher dafür, dem Feind aus dem Weg zu gehen. Spürt man dem Grund nach, warum erfolgreiche Spähtrupps erfolgreich sind, so stellt man immer wieder fest: Das Vorgehen im Wald abseits von Wegen ist ihnen zur zweiten Natur geworden. Feindberührung kennen sie dann nicht mehr. Das ist das ganze Geheimnis!

Ein ernstzunehmendes Argument ist allerdings noch zu behandeln und es hat Gewicht. Es lautet ungefähr so: Quer durch den Wald bei Tag, na schön. Aber bei Dunkelheit: Nein, das funktioniert nicht einmal beim Lederstrumpf.

Richtig: Man kann sich bei Nacht quer durchs Gehölz und wirklich geräuschlos vielleicht hundert Meter annähern („anschleichen" ist der zutreffendere Ausdruck; in „mittlerem Waldgelände", d. h. Wald ohne allzuviel Unterholz, ist dazu etwa eine Stunde zu veranschlagen). Man schafft vielleicht auch noch fünfhundert Meter, aber dann ist man fix und fertig und die Nacht ist ´rum. Bei Dunkelheit funktioniert

Spähtrupp 12 des Salzburger Aufklärungszuges 8 bei der RVÜ 86 in der Steiermark.

das also wirklich nicht! Und tatsächlich sucht man sich bei Nacht Wege, entlang derer man ohne Lärm vorankommt, es geht nicht anders.

Aber man sollte sich darüber im Klaren sein, dass das eben ein Kompromiss ist. Man wird trachten, Wege, Steige, Wildwechsel und Traktorspuren zu nutzen, Bewegungslinien also, die wenig leistungsfähig und damit auch wenig interessant sind. Entlang des Rückens bewaldeter Kämme und an Übergängen von Hochwald zu Jungwald kommt man oft auch ohne Weg ganz gut voran. Wenn die Straße aber einmal befestigt ist und einen LKW oder gar einen Schützenpanzer trägt, dann wird die Sache auch bei Nacht unerträglich riskant. Längs solcher Straßen sind immer gute Beobachtungsmöglichkeiten vorhanden und Nachtsichtmittel finden beste Einsatzbedingungen. Ich habe es schon vorne gesagt: Es gibt keinen Grund, warum ein Spähtrupp ausgerechnet nächtens unterwegs sein soll. Erkundete Marschabschnitte ja, aber wenn man in einem Gelände erstmals unterwegs ist, sollte man trachten, das Tageslicht zu nützen. Ausnahmen nur für Könner!

Wir Durchschnittsmenschen sollten diesen Grundsatz beherzigen. Und mit einem ordentlichen Aufklärungsergebnis zurückkommen.

*

Das Bundesheer hat „neue Aufgaben" und erfüllt diese in „neuem Gelände": In Afghanistan und in den albanischen Bergen mögen die hier dargelegten Grundsätze der Adaptierung bedürfen. Aber meiner Meinung nach muss der Anfänger in der Kunst des Spähtruppgehens von vorne beginnen und nicht von hinten. Er sollte das Spähtrupphandwerk in unseren Breiten erlernen. Ist das einmal entwickelt, mag er es auch an exotischen Schauplätze vertiefen; die Grundsätze werden sich dabei nicht ändern, allenfalls mögen sich die Gewichte verschieben.

Hans Edelmaier

Grundlegendes Spähtruppverhalten

Ehe wir uns näher über die Durchführung von Spähtrupps verbreiten, seien einige Regeln vorangestellt, die unverzichtbar und rountinierten Spähtruppgehern zur zweiten Natur geworden sind. Aber sie sind bei der Linieninfanterie unüblich und deshalb muss an dieser Stelle wohl oder übel darauf eingegangen werden:

1. Am Spähtruppsoldaten scheppert und knarrt nichts!

Es sind Kleinigkeiten, die sich summieren: Eine wackelnde Feldflasche, ein scheuernder Koppel, ein klickendes Scharnier am Traggerüst, das Klingen des an den Sturmgewehrschaft schlagenden Tragegurtes – all das muss verschwinden! Isolierband ist hilfreich und sollte ohne Zögern und in beliebiger Menge dazu verwendet werden, Ausrüstungsteile festzuzurren und daran zu hindern, ein Geräusch zu erzeugen. Der Spähtruppkommandant lässt seine Leute an sich vorbeilaufen und vom Sessel herunterspringen, um sie auf Geräuschlosigkeit zu überprüfen.

Gelegentlich knarrten die Zwischensohlen der Bergschuhe recht laut. Wenn man den Schuh zehn Minuten lang mit Wasser füllte, verschwand es wieder.

Ein Spähtruppteilnehmer wird auf Geräuschtarnung überprüft und springt von einem Sessel herunter. 4. Internationale Wienerwald-Patrouille 1992.

2. Tarnung richtig anlegen

Jeder Spähtruppteilnehmer tarnt sich sorgfältig! Das bedeutet großzügige Schwärzung von Gesicht, Nacken und Händen. Das Gesicht als heller Fleck ist auffällig und auf 250 Meter zu erkennen, wie die Vorschrift AGD wusste.

In der Frühzeit verwendeten wir mit Feuerzeug angesengte Korkstoppel dazu (damals waren die meisten jungen Männer Raucher). Bald darauf verwendeten wir Papierruß, was wesentlich besser war. Und heutzutage gibt es hautfreundliche Camouflage-Cremes, die keine Wünsche mehr offen lassen.

Man hat früher zwischen Tag- und

Schlecht!

Das hier mag zünftig ausschauen, ist aber völlig ungenügend: Hände und Nacken (sowie bei Kahlkopf auch dieser) müssen mitgeschwärzt werden!

Besser!

Nervöse Striche im Gesicht nehmen dessen helle Farbe nicht weg!

Richtig ist das großflächige Schwärzen des Gesichts!

Am besten!

Nachttarnung unterschieden. Mit Tagtarnung sollte der helle Fleck des Gesichts optisch aufgebrochen werden, aber das funktioniert nur ungenügend. Besser ist auch bei Tag die völlige Schwärzung.

3. Auf Spähtrupp herrscht Sprechverbot!

Manchen Menschen fälllt es schwer, den Mund zu halten. Für sie ist der Spähtrupp nicht das Richtige.

Wenn man sich etwas sagen will, dann ist höchstens Flüstern erlaubt! Aber auch das wird kaum benötigt. Man verständigt sich mit Handzeichen und bei Dunkelheit mit Berührungszeichen.

Sobald der Spähtrupp im Gelände ist, hört man von ihm kein lautes Wort mehr!

4. Waffe in Pirschhaltung!

Der Spähtrupp führt seine Waffe stets in Pirschhaltung. Er darf sich nicht überraschen lassen und muss kampfbereit vorgehen. Das ist nicht so schwierig und die heutigen federleichten Sturmgewehre fordern dabei auch nicht mehr die Armmuskulatur. Wer mit umgehängtem Gewehr vorpirscht, kennzeichnet sich als Anfänger und wird bei der ersten Feindberührung Zweiter sein.

Ich räume ein, dass es heutzutage sehr gute Pirsch- oder Bereitschaftshaltungen mit dem Sturmgewehr gibt, bei denen man mit Gewehr um den Hals sehr schnell zum Schuss kommt und die Hände frei hat. Früher hatten wir es nicht so leicht. Entscheidend ist jedenfalls, dass man blitzschnell zurückschießen können muss.

5. Niemals laufen!

Die Linieninfanterie übt sich eifrig im Laufschritt und im Sturmlauf und überwindet eingesehene Geländeteile im geschlossenen Sprung, um feindlichem Feuer weniger lang ausgesetzt zu sein. Wenn man die Feuerkraft eines militärischen Verbandes im Rücken hat und darauf zurückgreifen kann, den Feind mit Feuer niederzuhalten, dann ist es nicht mehr so wichtig, ob einen der Feind erkennt oder nicht. Aber der Spähtrupp kann das nie und für ihn kommt es nicht darauf an, nur kurz exponiert zu sein, sondern überhaupt nicht!

Rasche oder auch nur hastige Bewegungen fallen auf, weil sie im ansonsten ruhigen Ambiente des Waldes sofort störend ins Auge springen. Jede Bewegung verrät, nur völllig regungslos bleibt man unentdeckt. Freilich muss man sich bewegen, um voranzukommen, aber langsam und tastend, um unauffällig zu bleiben. Und das auch dann, wenn man sich am liebsten aus einer Gefahr wegbeamen und auf und davonlaufen möchte.

Dabei ist auch scheinbaren Kleinigkeiten Beachtung zu schenken: Neben dem Laufen ist das Festhalten an Büschen und dünnen Bäumen die nächstgroße Sünde im Wald: Wackelnde Baumwipfel kennzeichnen den eigenen Standort untrüglich. Das erfordert anfangs Disziplin, ist aber rasch erlernbar.

Zusammenfassend: Keine Hast, sondern langsam und bedächtig, das zeichnet einen erfolgreichen Spähtrupp aus.

Diese Bewegungsbahn verwendete man in der steirischen Kaderausbildung für angehende Jagdkämpfer.

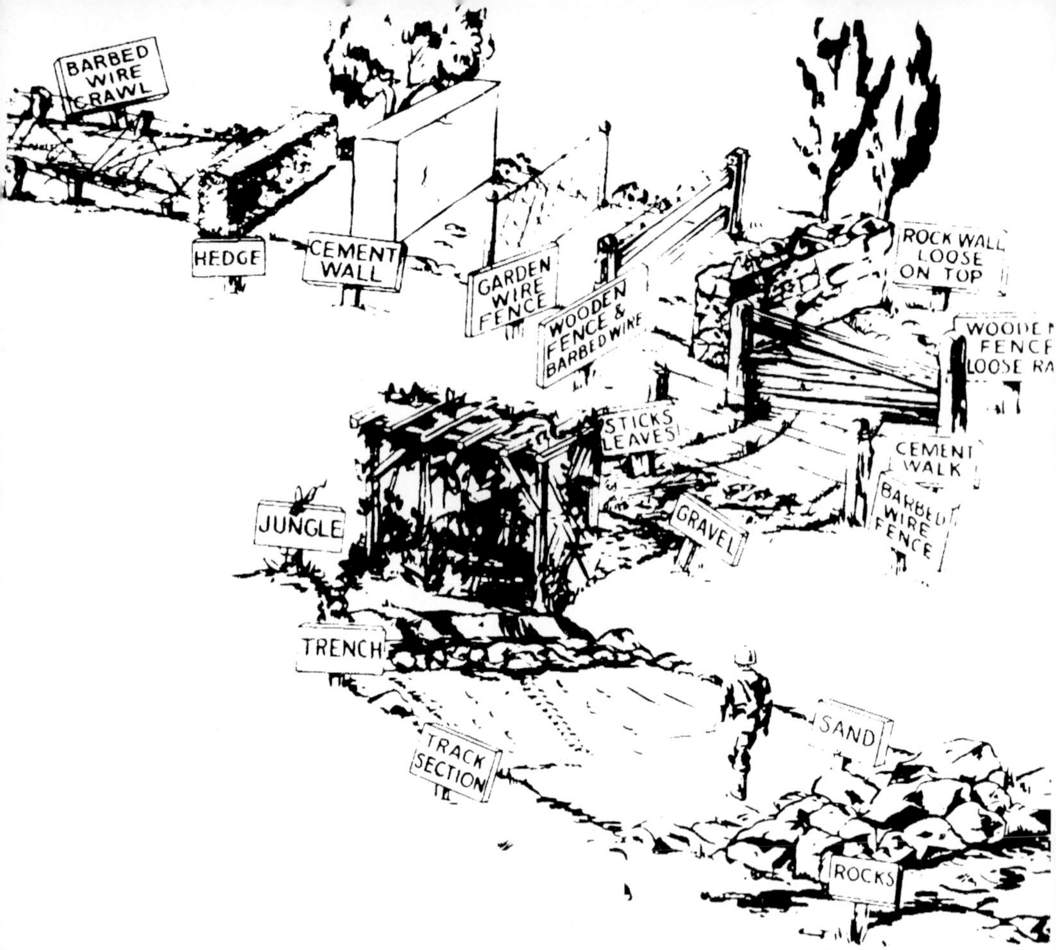

Schleichübungen

Zwar ist Beobachten in der Zusammenschau für den Spähtrupp viel wichtiger als Bewegen, aber ehe der Spähtrupp ans Beobachten kommt, muss er erst an den Feind gelangen und daher pirschen. Das ist nicht so schwierig, will aber geübt sein.

Unerkannt an den Feind zu kommen, bedeutet unsichtbar und unhörbar zu sein. Völlig unsichtbar und unhörbar ist nicht machbar, aber dem Ideal sollte man möglichst nahekommen.

Ein erster Ausbildungsschritt dazu ist die „Schleichbahn": Eine präparierte Piste mit typischer Bewachsung, vielleicht fünf Meter breit und zweihundert Meter lang. Der Boden sollte folgende Beschaffenheiten aufweisen:

- Nadelwaldboden,
- Laubwaldboden,
- Schotterboden, beispielsweise ein Eisenbahndamm;
- felsdurchsetzter Waldboden.

Allmählich sollte der jeweils typische Bewuchs dazukommen, sodass auf dieser

„Schleichbahn" nicht nur auf das Auftreten am Boden, sondern auch auf Gehölz, Gebüsch usw. Bedacht zu nehmen ist. Eine etwa fünfzehnzehn Meter breite Fläche muss gleitend zurückgelegt werden: Sie simuliert eine Schneise, die nicht umgangen werden kann, und die nicht aufrecht überwunden werden kann, sondern nur flach am Boden – und leise.

Diese Bahn muss geräuschlos absolviert werden, aber dann hat der Mann zusätzlich auch auf Vermeidung von Spuren zu achten: Also sparsamer Einsatz der Sohlenkante des Feldschuhs, möglichst auf festem Untergrund auftreten, das Verursachen einer Spur selbst bemerken und verwischen.

Abgebildet ist der „silent movement course" der US Rangers aus dem Zweiten Weltkrieg. Dort kommen noch das Überwinden von Trümmerstrecken, Mauern, Zäunen, Bächen, Hecken, Gräben und Sperren hinzu, etwa das geräuschlose Durchschneiden eines Stacheldrahtzaunes, wie das früher für Stoßtruppunternehmen wichtig war.

Wenn solche „Schleichbahnen" nicht vorhanden sind, wird man gleich ins Gelände zu gehen haben: Man steckt dort einen entsprechenden Geländestreifen ab und die Soldaten müssen ihn lautlos überwinden.

Ein Teil der Übenden schaut zu und kann daraus wertvolle Erkenntnisse für das eigene Verhalten gewinnen, etwa welche Kleinigkeiten verräterisch wirken und vor allem, wie sehr hastiges Bewegen die eigene Anwesenheit preisgibt. Und wie verblüffend unauffällig langsames und geduldiges Bewegen wirkt – und wie bedeutsam eine ordentliche Tarnung ist: Die weißen Flächen ungetarnter Hände, des Nackens usw. springen schnell ins Auge.

Neben einer solchen „Schleichbahn" dienen Schleichübungen der Verbesserung der Geräuschlosigkeit:

1. Ein Mann sitzt mit verbundenen Augen am Ende einer typischen Geländefläche, beispielsweise einem lichten Stangengehölz. Vor ihm brennt eine Taschenlampe. Die Übenden bewegen sich geräuschlos auf ihn zu, wer es schafft, ungehört die Taschenlampe auszuknipsen, hat den Test bestanden. Wenn der Mann mit

Auf einer „Schleichbahn" der US Rangers im Zweiten Weltkrieg.

den verbundenen Augen ein Geräusch hört, zeigt er in die Richtung, aus der er es vernommen hat und der überwachende Ausbilder nimmt den Verursacher aus dem Rennen und lässt ihn nochmals von vorne beginnen. Diese Übung lässt auch Varianten zu: Etwa kann die Bewegungsart auf Kriechen oder aufrechtes Gehen beschränkt werden.

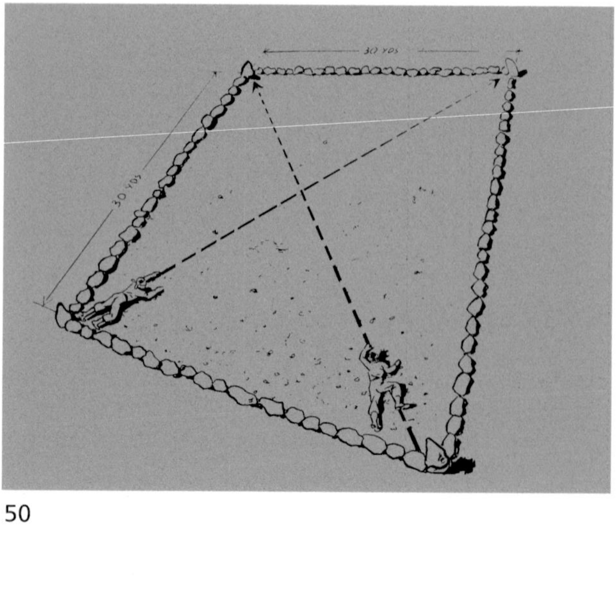

2. In einem abgesteckten Geviert von ca. 30 x 30 Metern kriechen zwei Mann mit verbundenen Augen zum diagonal gegenüberliegenden Eck, und zwar so, dass sich ihre Kriechwege kreuzen. Sie dürfen sich nicht berühren, sondern müssen einander ausweichen. Das funktioniert zwar nicht ganz so, aber die Übung schärft die Sinne für die Nähe anderer Personen.

7. Pirschen

Wir müssen uns unerkannt bewegen – entweder auf den Gegner zu oder von ihm weg. Dazu dürfen wir keine optischen und akustischen Signaturen setzen. Wir müssen uns also geräuschlos und möglichst ungesehen bewegen. Das nennt man Pirschen.

Unsichtbar

Dazu gilt als wichtigste Regel: Niemals laufen! Rasche oder auch nur hastige Bewegungen fallen auf, weil sie im ansonsten ruhigen Ambiente des Waldes sofort störend ins Augen springen. Jede Bewegung verrät, man bewegt sich daher langsam und tastend, eben pirschend. Und das auch dann, wenn man bei Gefahr am liebsten auf- und davonlaufen möchte!

Unhörbar

Das kann man natürlich auch übertreiben (die Gefahr ist beim Anfänger nicht sehr groß): Nachdem man vom Gegner nicht nur nicht gesehen, sondern auch nicht gehört werden darf, muss man mit der Schere zwischen deckendem Unterholz und Lärmmachen beim Fortbewegen auf Dürrreisig und Raschellaub zurechtkommen.

Denn vom Lärm wird der Gegner auf den eigenen Standort aufmerksam gemacht. Also sorgsam den Fuß aufsetzen, um nicht einen dürren Zweig laut knackend zu zertreten („Storchenschritt"). Was im Straßenlärm untergeht, hallt im Wald weithin und verräterisch.

Bewegen

Zwei Fehler sind es in der Hauptsache, die der Anfänger macht und die nahezu automatisch zu seiner Entdeckung führen:

Jede Bewegung zieht die Aufmerksamkeit eines Beobachters ganz zwangsläufig auf sich. Je schneller eine Bewegung, desto auffälliger ist sie. Nicht umsonst verhofft das Wild bei Gefahr der Entdeckung und springt erst dann ab, wenn kein anderer Ausweg mehr bleibt!

Nahezu alle Anfänger machen den entscheidenden Fehler, dass sie vorlaufen, um sich nur möglichst kurz zu exponieren. Die Expositionszeit mag kurz sein, die schnelle Bewegung ist aber nicht mehr zu übersehen. Der Gegner wird auf den Läufer aufmerksam und weiß, wo er steckt – genau das, was wir ihm vorenthalten möchten!

Ein zweiter und ebenso schwer ausrottbarer Unsinn ist es, gebückt zu pirschen! Zwar ist das Abducken und Bücken eine natürliche Reaktion auf Gefahr, weil der Mensch seinen nicht durch den Rippenkasten gepanzerten weichen Unterleib zu schützen trachtet. Etwa im Anfängerschwimmunterricht machen wir dieselbe Beobachtung: Obwohl der Schwimmschüler weiß, dass er mit durchgestrecktem Körper mehr Auftrieb hat, drängt es ihn, die Beine zur Hocke anzuziehen.

Beim Pirschen behindert uns eine gebückte Haltung ganz erheblich und sie schränkt uns im Beobachten und Horchen ein. Ein aufrecht stehender Mann bietet

Pirschendes Vorgehen eines Spähtrupps mit „Storchenschritt". US Lehrfilm.

zwar eine höhere, aber auch schmälere Silhouette, die mit den Baumstämmen besser verschmilzt als ein niedriger, aber runder „Knödel".

Eine Zeit lang hat man die unsinnige Bücke auch beim kampfmäßigen Schießen als „Combat Crouch" propagiert, weil eine solche behindernde Stellung „natürlich" sei. Heutzutage sollte man über diese Jugendsünden des Schießens hinweg sein.

Streng verboten ist jedenfalls im Wald das Laufen und das Bücken!

Beobachtungs- und Horchhalt

Wir müssen uns bewegen und sollen dabei möglichst kein Geräusch machen. Aber Bewegen verrät und völlig geräuschlos wie ein Indianer werden wir wohl auch bei allem Bemühen nicht bleiben. Was also tun?

Die Lösung ist, dass man sich nur so weit vorbewegt, als man sicher ist, dass dort kein Gegner steckt. Dazu muss man beobachten und horchen. Das funktioniert während der Bewegung nicht, darum bleibt man dazu stehen und verharrt in seiner Vorwärtsbewegung. Beim Militär nennt man das Beobachtungshalt und die Aufklärer kennen dazu auch noch das Horchhalt. Die Vorwärtsbewegung ist also von solchen Beobachtungs- und Horchhalten gekennzeichnet und je dichter das Gelände bewachsen ist, desto weniger weit kann man sich in einem Zug vorbewegen und desto häufiger sind daher Beobachtungs- und Horchhalte einzulegen.

Deutsche „Schleichpatrouille“ im Ersten Weltkrieg. Das Spähtrupphandwerk war damals noch nicht sehr ausgeprägt und das Bücken engt den Gesichtskreis ein und schadet dem Beobachten.

Schon eine alte und zeitlose Jägerregel besagt: „Mehr pirschen stehen als pirschen gehen!“

Ein solches Beobachtungs- und Horchhalt sollte nicht frei und aufrecht stehend und exponiert erfolgen, sondern in Deckung, um nicht selbst die Aufmerksamkeit des Gegners auf sich zu ziehen. Allerdings auch nicht so tief in Deckung, dass man nichts mehr hört und sieht. Die Wahl eines solchen Halts will zwar geübt sein, ist aber nicht schwierig.

Ist man sicher, dass im mit Augen und Ohren durchforschten Sektor vorab der Gegner nicht sitzen kann, dann sieht man sich nach einem neuen, voraussichtlich geeigneten Platz für den nächsten Beobachtungs- und Horchhalt weiter vorne um. Der muss innerhalb des vorhin durchforschten und als feindfrei erkannten Raumes liegen. Hat man einen geeigneten Platz gefunden, bewegt man sich langsam und leise dorthin.

In dieser Bewegungsphase ist man voll auf das Vermeiden von Geräuschen konzentriert und kann daher nur schlecht wahrnehmen, umgekehrt ist die eigene Bewegung auffällig. Die Bewegungsphase ist daher die Schwächephase des Pirschens, sie sollte möglichst kurz sein. Das darf aber niemals dazu führen, dass sie sprunghaft und damit gehetzt wird!

Hans Edelmaier

Einzelhinweise

Ich möchte an dieser Stelle einige Spähtruppaspekte herausgreifen, die mir wichtig erscheinen und von denen ich meine, dass sie in ihrer Bedeutung nicht immer durchschaut werden.

Gefechtsformen des leichten Fußspähtrupps

Üblicherweise klären vierköpfige Fußspähtrupps auf, als stehende Spähtrupps sind sie oft sechs Mann stark. Wir haben die Gefechtsform des „Y" am praktischsten gefunden und diese sei in der Folge beschrieben.

Zuvor aber ein paar theoretische Überlegungen:

Entwicklung

„Entwicklung" bedeutet das Zerlegen der Truppe nach Breite und Tiefe durch Einnehmen von Gefechtsabständen von Mann zu Mann. Sie betragen üblicherweise acht Schritte. Das bringt Auflockerung und bezweckt

- die Erhöhung der eigenen Waffenwirkung,
- die Verminderung der feindlichen Waffenwirkung und
- die bessere Ausnützung des Geländes.

Ein Spähtrupp, der aufgedeckt in Reihe vorgeht, kann nach vorne nur mit einem Mann beobachten und kämpfen, die hinteren stehen sich im Weg. Umgekehrt aber kann der Feind den ganzen Spähtrupp mit einem einzigen Schuss ausschalten: Das Projektil eines 7,62 mm (.308) Sturmgewehrs durchschlägt durchaus mehrere Personen!

Ist der Spähtrupp aber entwickelt (hat er also Gefechtsabstände zur Seite und in der Tiefe eingenommen), so

- können die rückwärtigen Späher durch Lücken nach vorne wirken,
- muss der Feind jeden einzelnen Späher bekämpfen und dazu einzeln anrichten und
- wird die Bewegung des Spähtrupps unauffälliger, weil jeder Späher Masken und Deckungen besser ausnützen kann und der Spähtrupp dadurch kein auffälliges Ziel bietet.

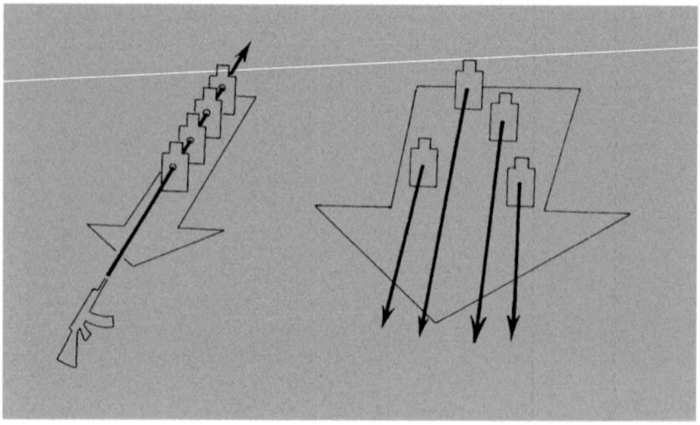

Ein nicht entwickelter Spähtrupp wird mit Feuer gefasst, ein entwickelter kann mit mehreren oder allen Waffen wirken.

In der Hauptsache zielt die Gefechtsform also auf eine Auflockerung ab. Zusammenballungen, so sehr sie gerade in der Gefahr dem Herdentrieb des Menschen entgegenkommen, bewirken größere Verluste, sind auffällig und führen zu gegenseitiger Behinderung.

Das gilt nicht nur für tiefe, sondern auch für breite Gefechtsformen. Dort müssen Tiefenabstände die Flankenempfindlichkeit mildern. In einer Schützenkette etwa ohne Tiefenabstände können wohl alle nach vorne, aber nur die Flügelmänner nach der Seite wirken. und flankierendes Feuer wirkt gegen breite Aufstellungen ohne Tiefenabstände verheerend.

Ein weiterer Vorteil der aufgelockerten Gefechtsform ist, dass sie Spuren vermeiden hilft. Eine Faustregel besagt, dass ein Grashalm nach einem Tritt wieder aufsteht, nach einem zweiten aber nicht mehr. Marschiert ein Spähtrupp ohne Seitenabstände, hinterlässt er einen Trampelpfad, der auf taunassen Wiesen am Morgen weithin ins Auge sticht, aber auch im trockenen Niedriggrasgelände einem geübten Blick auffällt.

Bewuchs und Sichtverhältnisse diktieren die Größe der Gefechtsabstände. In lichtem Kusel-

Richtig: Schwarz ist entwickelt und kann sein Feuer zusammenfassen. Falsch: Weiß ist zusammengeballt, sein Feuer ist zersplittert.

Bei einer Flankenbedrohung aus 3 Uhr kann der Spähtrupp bei Einhaltung von Tiefenabständen das Feuer beantworten; umgekehrt kann er nicht von einer einzigen Garbe niedergemäht werden.

In diese nicht entwickelte Aufstellung schlug flankierendes Feuer. Irakisch-iranischer Krieg 1982.

gelände oder im unterholzarmen Hochwald können sie sich dehnen – aber nur so weit, als gegenseitige Unterstützung möglich bleiben muss: Kann ich dem anderen mit Feuer helfen, falls ihm etwas zustößt? Umgekehrt wird in stockfinsteren Nächten, wie sie gerade im sommerlichen Laubwald vorkommen, ein Aufschließen auf Tuchfühlung nötig sein – allein um durch Berührungszeichen die Verbindung im Spähtrupp zu wahren.

Das „Y"

Es ist die universellste und damit häufigste Gefechtsform des leichten Fußspähtrupps. Es

- hat Breite und Tiefe,
- gewährleistet Rundumsicherung und -beobachtung und
- ist dem Gelände gut anzupassen.

Vorne pirschen zwei Aufklärer nebeneinander mit Seitenabstand, einer von ihnen ist der Spähtruppkommandant. Üblicherweise als Rechtshänder der linke Mann, weil er leicht Feuer nach links abgeben kann. Rechtshänder tun sich mit Rechtssicherung schwer, weil sie sich überdrehen müssen, davon will man den Spähtruppkommandanten freihalten, diese Aufgabe übernimmt sein Kamerad. Steht ein Linksschütze zur Verfügung, wird er dort verwendet. Das Sturmgewehr 77 ist nur rechtshändig bedienbar, bei ihm entfällt das.

In der Tiefe der stellvertretende Spähtruppkommandant; seine Aufgabe ist die Aufrechterhaltung der Verbindung im Spähtrupp. Unmittelbar neben ihm – ausnahmsweise ohne Gefechtsabstand – der Rückwärtssicherer. Er wendet sich bei Halt automatisch nach rückwärts und wird vom stellvertretenden Spähtruppkommandant mit Berührungszeichen zum Weitergehen aufgefordert. Sie halten Verbindung durch Berührung („Körpertelefon").

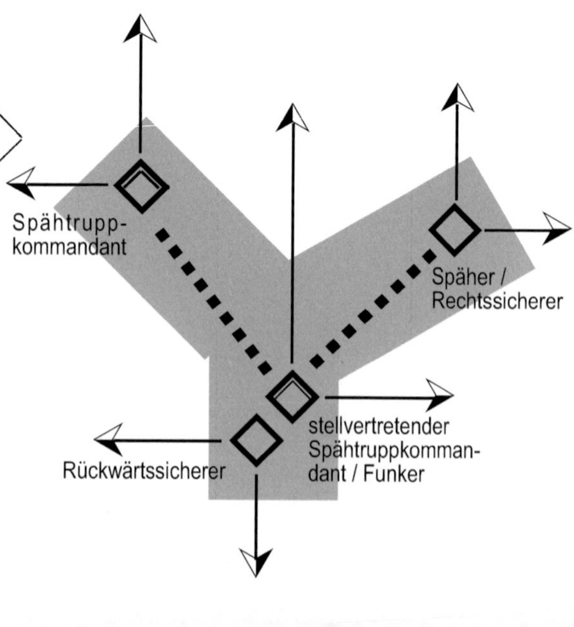

Spähtrupp 12 des Aufklärungszuges 8 in der Y-Formation.

Im Y dürfen die Aufklärer weder nach der Seite noch nach der Tiefe aufdecken.

Ist der Spähtrupp nur drei Mann stark, übernimmt der stellvertretende Spähtruppkommandant die Aufgabe der Rückwärtssicherers dazu. Spähtrupps mit mehr als vier Mann Stärke reihen die zusätzlichen Männer hinter dem stellvertretenden Spähtruppkommandanten ein und die Rückwärtssicherung wird von einen Späherpaar übernommen.

Ein Rechtshänder tut sich mit Rechtssicherung schwer. (Das Sturmgewehr 77 lässt sich überhaupt nur rechts einsetzen.) Daher sollte man den Spähtruppkommandanten nach links sichern lassen und den zweiten Mann vorne im Y mit der Rechtssicherung beauftragen.

Die „Kette"

Sie ist die breite Gefechtsform des leichten Fußspähtrupps und wird zum Feuerkampf eingenommen. In ihr können die Späher besser nach vorne wirken und mehr Feuer an den Feind herantragen. Der Rückwärtssicherer bleibt zwischen Spähtruppkommandanten und seinem Stellvertreter und gibt niemals die Sicherung nach rückwärts auf! Er steht daher auch nicht für den Feuerkampf nach 12 Uhr zur Verfügung!

Der Rückwärtssicherer geht grundsätzlich mit Schussrichtung 6 Uhr in Stellung.

Im vierköpfigen Spähtrupp ändert sich das Y in der Kette kaum, die Aufgabenverteilung bleibt unverändert.

Rückwärtssicherung

Sie ist ein leidiges Problem: Die Augen sitzen eben vorne im Kopf und nicht hinten. Andererseits ist nichts einfacher und amüsanter, als einer Gruppe zu folgen, die schlecht oder gar nicht nach rückwärts sichert. Und ein Spähtrupp, der keine Ahnung hat, dass ihm der Feind im Nacken sitzt, springt über die Klinge!

Der Fehler ist praktisch immer, dass der Rückwärtssicherer bloß gelegentlich über die Schulter blickt. Das aber ist völlig ungenügend! Der Rückwärtssicherer muss vielmehr eine volle Drehung um die eigene Achse ausführen („Kreisel") und den gesamten Raum hinter sich unter sorgfältige Beobachtung nehmen.

Erster Indochinakrieg

Am 8. Jänner 1952, einer eiskalten und besonders mondhellen Nacht, hatten sich zwei Patrouillen der 5. Kompanie der 13. Halbbrigade der Fremdenlegion mehr als einen Kilometer von Xom-Phéo entfernt im Niemandsland bis 0100 Uhr als Horchposten gelegt. Um 0110 Uhr schlängelte sich die erste Patrouille vorsichtig durch den im Minenfeld und im Drahtverhau gelassenen Korridor zum Stützpunkt zurück, die zweite Patrouille folgte ihr mit fünf Minuten Abstand. Keine der beiden Patrouillen hatte auf ihrem Patrouillengang irgendeine Feindberührung gehabt. Kaum war die zweite Patrouille knapp innerhalb des vorderen Grabens angelangt, erhoben sich hinter ihr plötzlich eine Anzahl Schatten. Ohne auch nur einen Augenblick zu zögern, brachte Sergeant Felipez vom I. Zug seine Maschinenpistole in Anschlag und eröffnete das Feuer. Fast gleichzeitig krachten die ersten Werfergranaten des Feindes auf die Stellung der 5. Kompanie. Die Viet-Minh waren einfach den beiden Patrouillen auf ihrem Rückweg nach Xom-Phéo gefolgt und hatten sie als Führer durch das Minenfeld benützt!

Bernard B. Fall: Dschungelkrieg. Neckarmünd 1965, S. 45.

Der Rückwärtssicherer muss sich vollständig drehen!

Der Rückwärtssicherer schaut nicht bloß über die Schulter zurück, sondern dreht sich immer um die eigene Achse um 360°!

Führt der Rückwärtssicherer seine Waffe rechts, so dreht er über links, weil er sie dann rascher einsetzen kann. Sinngemäß drehen Linksschützen über rechts.

Wie oft er dreht, hängt von der Lage ab. Als Faustregel: Zumindest alle fünfzig Meter einmal – bei pirschender Bewegung nahe am Feind wesentlich öfter.

Der Rückwärtssicherer muss ein ausgezeichneter Beobachter sein, der im Drehen das Gelände rasch und gründlich mit den Augen durchforscht. Ein verlorener Blick in die Ferne genügt da nicht! Dazu bedarf es eines guten und in gründlicher Beobachtung geübten Mannes.

Der Rückwärtssicherer hält sich ganz nahe an den stellvertretenden Spähtruppkommandanten heran, ohne allerdings aufzudecken. Erkennt er Feind im Rücken des Spähtrupps, muss er mit einem Schritt an ihm sein und ihn durch Griff zur Schulter warnen. Für umständliche Durchgabe von Zeichen bleibt die Zeit nie!

Bei einem Halt geht der Rückwärtssicherer grundsätzlich in Richtung 6 Uhr in Stellung. Er hält mit dem stellvertretenden Spähtruppkommandanten Tuchfühlung („Körpertelefon"), der seinerseits nach vorne beobachten und mit dem Spähtruppkommandanten und

Valmorbia

Als Ende Juni 1916 die Front zurückgenommen werden musste, vermochten sich die Kampftruppen zumeist ungestört vom Feind zu lösen. In einem Fall aber wäre es um ein Haar zu einer Katastrophe gekommen: Im Zuge dieser Zurücknahme bezog das I. Bataillon des Kaiserschützenregiments Nr. I das Panzerwerk Valmorbia südostwärts von Rovereto. Nachtruppen, darunter das XIX. Marschbataillon, lagen noch südlich davon auf der Trappola. Als sie sich eben vom Feind lösten, nützten das die Italiener aus und in der Nacht vom 21. zum 22. Juni hängten sie sich in Bataillonsstärke unbemerkt an die Kaiserschützen an. Noch vor dem Morgengrauen standen sie am Fuße des Werkes Valmorbia. In geschlossener Marschkolonne marschierten sie die Werksstraße hinauf, wobei sie deutsche Kommandoworte gebrauchten, so die Feldwachen in der Dunkelheit täuschten und mit dem Bajonett niedermachten. Zwischen 0400 und 0500 Uhr gelang es ihnen sogar, mit Teilen in das Werk einzudringen. Nur durch die Reaktion eines aufmerksamen Telefonisten bemerkte man im Trubel der zurückkommenden eigenen Truppen, dass der Feind bereits in den Kavernen stand. Dem Reserveoberleutnant Alfred Enrich war es zu verdanken, dass der Einbruch unter außergewöhnlich schweren Verlusten bereinigt werden konnte.

Oben: Tuchfühlung („Körpertelefon") des Rückwärtssicherers mit dem stellvertretenden Spähtruppkommandanten.

Späher Verbindung hält.

In besonderen Fällen kann der Rückwärtssicherer auch am Feldgurt rückwärts gehend geführt werden, allerdings nur bei einigermaßen ebenen Gelände und für kurze Zeit.

Rechts: Dasselbe beim Beobachtungshalt im Abknien.

Auf diese Weise lässt sich über kurze Strecken und über einigermaßen ebenes Gelände eine ununterbrochene Beobachtung nach hinten aufrechterhalten.

Beobachten

Richtig beobachten will gelernt und geübt sein. Kino und Fernsehen haben viel zu völlig absurden Vorstellungen beigetragen: Der Held (im Gewaltkrimi sowieso, aber auch Förster und Wilderer im Heimatfilm) springt auf die Lichtung heraus und wirft wilde Blicke um sich. Aber auf diese Weise sieht man überhaupt nichts!

Die Schwierigkeit des Beobachtens (nicht nur) im Wald liegt in der Unübersichtlichkeit des Geländes. Es ist unmöglich, die gesamte sich vor den Augen entfaltende Szenerie mit einem Blick kontrollieren zu wollen! Sie muss daher in kleinere Portionen zerlegt werden. Dazu wendet man eines von drei gebräuchlichen Verfahren an, je nach persönlicher Präferenz:

- Strahlensuchen,
- Schlangensuchen oder
- Schachtelsuchen.

Beim **Strahlensuchen** wandert der Blick durch die Tiefe des übersehbaren Raumes an den Horizont und wieder zurück; dabei wird er jedesmal seitlich versetzt, wodurch man im Verlauf die gesamte Breite des Beobachtungsraumes abdeckt.

Strahlensuchen.

Schlangensuchen.

Der Mensch neigt dazu, mit seinem Blick in einer bestimmten Entfernung „hängenzubleiben", wodurch er zu nahe an den Gegner herangeraten oder ihn auf größere Entfernung übersehen kann. Dem wirkt die Technik des Strahlensuchens entgegen.

Beim **Schlangensuchen** wird der Beobachtungsbereich mit dem Blick sozusagen in Zeilen abgetastet, wobei das Auge einer gedachten Serpentine folgt. Ob man von vorne beginnt oder in der Tiefe, ist unbedeutend, zumal die Beobachtungstiefe im Wald ohnedies nie groß ist.

Strahlen- und Schlangensuchen waren übrigens schon im Ersten Bundesheer bekannt; das Zweite hat das nicht mehr weiterverfolgt ...

Schachtelsuchen.

Beim **Schachtelsuchen** teilt man den Beobachtungsbereich gedanklich in Sektoren („Schachteln") auf und sucht einen nach dem anderen sorgfältig mit dem Auge ab. Man verwendet das Schachtelsuchen dann, wenn zergliedertes Gelände es nahelegt, einzelne Geländekammern isoliert zu durchforschen.

Hat man den Beobachtungsbereich in einer der genannten Methoden sorgfältig abgesucht, so trachtet man, den **Gesamtbereich** kurze Zeit mit einem einzigen Blick zu erfassen. Das Auge wird auf Unendlich eingestellt, ohne einen Punkt zu fixieren, und es gelingt mit etwas Übung tatsächlich, das ganze Gelände in sich aufzusaugen und dabei auch das periphere Sehfeld zu kontrollieren.

Dieser Wechsel von Detailbeobachtung zu Gesamtbeobachtung (die „Totale" der Kameraleute bei Film und Fernsehen) ist wichtig, weil mit zwei sich ergänzenden Brennweiten die besten Ergebnisse erzielt werden. Während im Zoom das Detail erkennbar wird, bietet der Panoramablick die Übersicht. Darüber hinaus ermüdet das Auge im Zoom und kann sich dann in der Unendlicheinstellung des Panoramablicks wieder erholen.

Die Brückenwachen der U-Bootfahrer haben diese Beobachtungstechnik perfektioniert. Ihre Aufgabe war insofern schwierig, weil es galt, in der Eintönigkeit der Kimm („Horizont" für Landratten) den feinen Punkt eines angreifenden Jagdbombers so rechtzeitig zu erkennen, dass das Boot noch ein Alarmtauchen schaffte (besonders schwierig natürlich, wenn der JaBo aus der Sonne angriff). Es kann nicht schaden, von solchen Profis zu lernen: „... und immer wieder 90° Kimm und See nach Anzeichen vom Gegner absuchen. Ganz langsam das Glas von einer Seite des Sektors bis zur anderen führen, die Kimm Millimeter um Millimeter abtasten. Dann das Glas absetzen und den ganzen Sektor in den Blick nehmen, die Augen über den Himmelsraum führen und wieder die Kimm von links nach rechts millimeterweise absuchen ..."

Brückenwache eines U-Boots.

Ein britischer Commandosoldat des Zweiten Weltkriegs erinnert sich: „Die Landstriche habe ich immer so abgesucht, dass mein Blick langsam einen bestimmten Bogen entlang wandert. Ich nehme einen Baum oder eine Hecke als Ausgangspunkt und ende bei einem ähnlichen Wahrzeichen. Dann wende ich mich rasch wieder zurück, verlege den Bogen um zwei Meter vor und ziehe mit den Augen die Bahn in der gleichen Richtung wie vorher. Auf diese Weise sieht man alles zweimal aus dem gleichen Blickpunkt und kann eine Bewegung leichter entdecken.

Andere Leute ziehen die Methode der Quadrate vor: Sie wählen ein beliebiges Objekt und bestimmen es zum Mittelpunkt des Quadrats. Dann untersuchen sie das gesamte Viereck, hinauf und hinunter und diagonal. Sodann wird ein neues Quadrat aufgestellt und dann wieder ein nächstes.

Bei der Bogen-Methode setzt sich bei der Wanderung der Augen eine Reihe von Bildern im Gehirn fest. Kehrt der Blick zum Ausgangspunkt zurück und beginnt seinen Weg, nur um eine kurze Distanz verschoben, so erscheint das vorher aufgenommene Bild vor dem geistigen Auge und hat sich etwas bewegt, dann warnt eine innere Stimme und sagt, es habe sich seit dem letzten Mal etwas verändert.

Ich bin der Ansicht, das visuelle Element ist der stärkste Teil des Erinnerungsvermögens und gewiss der genaueste und dauerhafteste.

Ich entdeckte den Deutschen, als er zwischen zwei meiner Erkundungstouren den Fuß an der Seite eines Felsens vorgestreckt hatte. Die Bewegung selbst sah ich nicht. Auf den ersten Blick hätte ich gar nicht gewusst dass es ein Fuß war, aber als ich das erste Mal diesen bestimmten Bogen abtastete, war an der Seite des Felsens noch nichts gewesen, beim zweiten Mal jedoch zeigte sich ein bräunliches Etwas, das vorher nicht existiert hatte. Erst als ich es einige Minuten anvisiert hatte, wurde mir klar, dass es sich um den Stiefel am Ende eines menschlichen Beins handelte."

Wir hoffen, damit den Kern der Sache verständlich gemacht zu haben: Zum Beobachten bedarf es keines gehetzten Blickes, sondern eines systematischen Absuchens mit ruhigem und distanziertem Auge!

Sammelpunkte

Ihr Zweck ist die Wiedervereinigung versprengter oder verirrter eigener Teile. Sie müssen häufig unter Feindbedrohung angelaufen werden, daher sind besondere Vorsichtsmaßnahmen zu beachten.

Sammelpunkte können

- während der Vorgehens des Spähtrupps festgelegt werden („Gelegenheitssammelpunkte"),
- vor Beginn des Spähtrupps nach der Karte befohlen werden (vorgeplante Sammelpunkte) oder
- in Sonderfällen von langer Hand vorbereitet (d.h. erkundet, eingelaufen und eventuell auch vorsorglich besetzt und/oder mit Versorgungsgütern versehen) sein.

Bei wichtigen Sammelpunkten ist vorsorglich ein Ausweich-Sammelpunkt festzulegen.

Beschaffenheit von Sammelpunkten

Sammelpunkte müssen

- markant sein, sonst findet sie niemand und dann verfehlen sie ihren Zweck; sie werden oft Kartenpunkte sein;
- abseits liegen – wenn sich in ihrer Nähe Menschen aufhalten, sind sie nicht benützbar, daher Verkehrslinien, Ansiedlungen, markante Geländepunkte, taktisch wichtige Geländeteile und offenes Gelände meiden;
- Ausweichmöglichkeit bieten, daher bedecktes und beschirmtes Gelände wählen (keine „Mausefallen");
- hinreichend weit von der Stelle liegen, wo der Spähtrupp zersprengt wurde, damit der Feind nicht durch Zufall am Sammelpunkt wieder auf eigene Reste stößt; ein Biwaksammelpunkt 100 m neben dem Biwak ist sinnlos.

Hat der Spähtrupp einen stationären Auftrag (stehender Spähtrupp), ist immer ein Nah- und ein Fernsammelpunkt festzulegen.

Verhalten am Sammelpunkt

Sammelpunkte sind markant, sonst verfehlen sie ihren Zweck. Gerade deshalb aber dürfen sie niemals besetzt sein, weil sie auch dem Feind ins Auge springen. Der erste, der am Sammelpunkt eintrifft, beobachtet diesen aus sicherer Entfernung und winkt Nachkommende heran. Sie beziehen in der Nähe ein Versteck. Bruchzeichen können hilfreich sein.

Gewinnen mehrere Mann einen Sammelpunkt, pirscht sich einer unter dem Feuerschutz der übrigen heran.

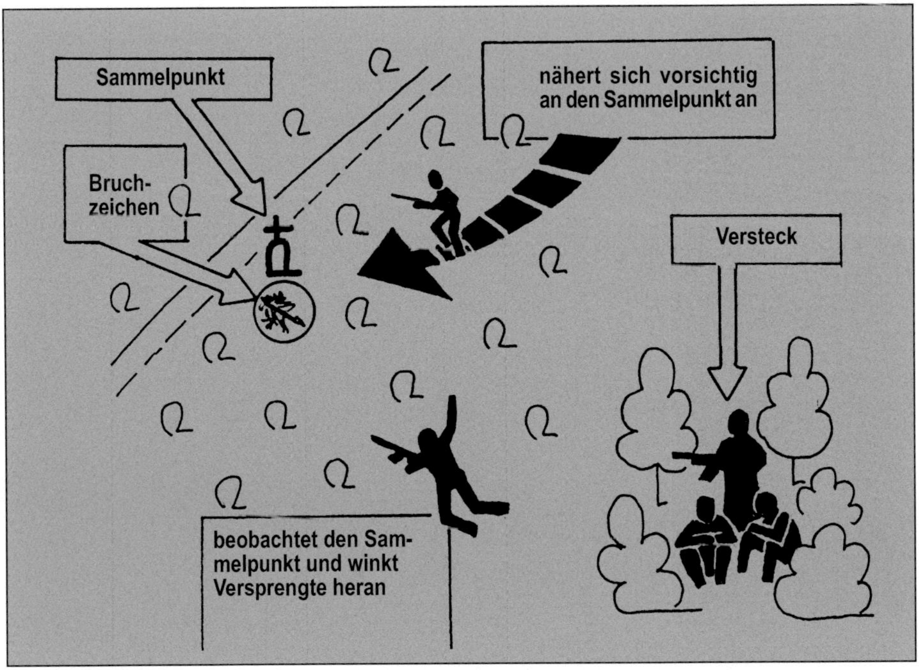

Bedenke:

- Sammelpunkte müssen markant sein, sonst werden sie nicht gefunden – sie sind es aber auch für den Feind!
- Versprengtsein bedeutet immer auch Geschocktsein: Versprengte orientieren

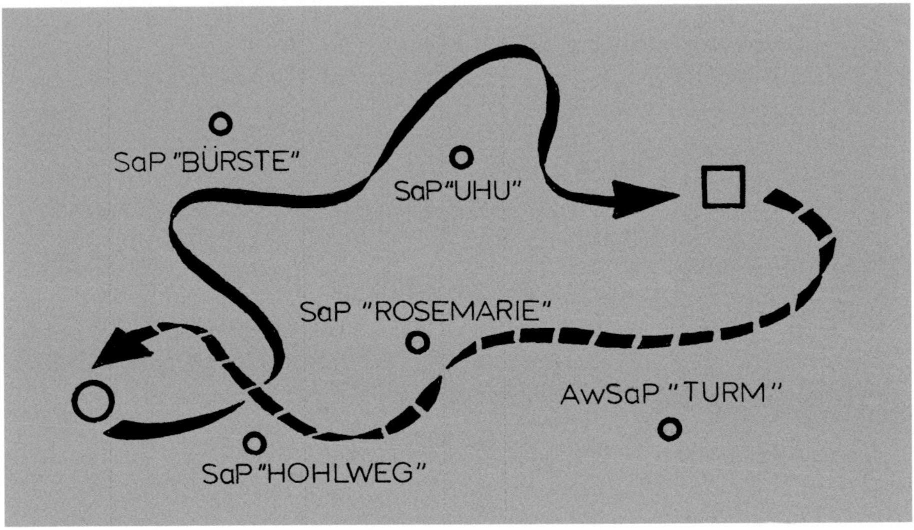

schlecht und benehmen sich manchmal auch unvernünftig.

- Am Sammelpunkt ist man erschöpft und froh, Anschluss gefunden zu haben. Die Sicherung darf aber nie vernachlässigt werden!
- Werden Verwundete zum Sammelpunkt gebracht, müssen diese versorgt werden. Im Versteck muss daher der Gebrauch von Rotlicht möglich sein; auch das Stöhnen von Verwundeten darf den Sammelpunkt nicht verraten

Vorgeplante Sammelpunkte

Im Zuge der Vorbereitung eines Spähtruppunternehmens kann ein Bewegungsstreifen vorgegeben sein oder festgelegt werden. Entlang dieses Bewegungsstreifens wählt der Spähtruppkommandant günstige Sammelpunkte aus und befiehlt sie.

Bei vorgeplanten Sammelpunkte wird manchmal auch befohlen, ab wann und wie lange sie „aktiv" sind, d.h. wie lange dort gesammelt werden kann.

Gelegenheitssammelpunkte

Während des Vorgehens befiehlt der Spähtruppkommandant Sammelpunkte. Dazu genügen die Handzeichen „dort" und „Sammelpunkt".

Als Faustregel gilt: Bei Tag alle ein bis eineinhalb Kilometer, bei Nacht alle 500 bis 800 Meter einen Gelegenheitssammelpunkt festlegen. Liegen die Sammelpunkte weiter auseinander, haben die Leute Schwierigkeiten, sie im Überraschungsfall zu finden.

Nach Verirren oder Versprengen wird am letzten befohlenen Sammelpunkt gesammelt. Ist dort Feind, dann am vorletzten.

Stehender Spähtrupp. Mistelbach 1985.

Franz Jordan

Der Fußspähtrupp der Aufklärungstruppe

Alle Fotos vom Autor.

Zur begrifflichen Unterscheidung: Spähtrupp[1] ist ein Unternehmen, das durch eine Truppe in unterschiedlicher Stärke zur Einbringung von Nachrichten über den Feind durchgeführt wird. Aufklärungstrupp, -gruppe und -zug umreißt hingegen eine organisationsmäßige Gliederung und Stärke.

Man sollte meinen, dass die Aufklärungstruppe[2] bei Übungen mehr auf Spähtrupp ging als die Kampftruppen im Rahmen der Gefechtsaufklärung. Dem war nur insoferne so, als man die Aufklärungszüge gerne irgendwann nach Mitternacht mit einem Aufklärungsauftrag auf verschiedene Verfügungsräume des Gegners ansetzte. Das war aber schon aufgrund des Zeitmangels ein Indianerspiel und sollte, vom Übungsleiter gewollt, möglichst zu einem Alarm beim Gegner führen. Wenn man nach eingehender Herumschleicherei und Beobachtung mit einem brauchbaren Ergebnis zurückkam, etwa: Kompaniegefechtsstand im Haus Nr. sowieso, zwei Wachposten am Eingang und ein zwei Mann Patrouille zwischen...., ein Zug untergezogen im Gehöft..., ein MG als Sicherung am Ortsausgang... usw., so war der Übungsleiter damit gar nicht zufrieden. Schöner wäre ein Alarm mit viel Schießerei zu nachtschlafender Zeit, mit wütendem Hundegebell und Leuchtfallschirm-Zinnober gewesen – wirklich schade.

Spähtruppeinsätze gegen einen verteidigungsbereiten Gegner waren bei Übungen selten. Einen abwehrbereiten Gegner konnte man nicht so einfach durchdringen. Es blieb meist bei einem Abtasten von dessen Stellungsverlauf und nach längerer Beobachtung vielleicht das Feststellen einzelner Stellungen und solcher von schweren Waffen. Eine Aufklärung in die Tiefe war nur durch Dauerbeobachtung aus höher gelegenen Beobachtungsstellen möglich, soweit das Gelände es zuließ. Aber für eine längere, ja oft tagelange Beobachtung eines Verteidigers waren die Aufklärungstruppler bei Großübungen nicht vorgesehen. Diese hatten meist mit einem mechanisierten Feind in Bewegung die Fühlung herzustellen und zu halten (vorwärts oder rückwärts). Dies geschah durch motorisierte Spähtrupps als Vorwärts-Aufklärung von Übersichtspunkt zu Übersichtspunkt oder durch stehende Spähtrupps an bestimmten Bewegungslinien bzw. Drehscheiben (Kreuzungen) und dann, nach Erkennen des Feindes, durch Halten der Fühlung mit demselben aus einer Reihe von kurzfristig bezogenen stehenden Spähtrupps, bis zur Aufnahme bei den eigenen Kräften zurückzugehen (früher „Klebespähtrupp" genannt), welche wiederum hinhaltend kämpften, verteidigten oder angriffen. Als Folgeauftrag überwachte man Flanken oder Lücken oder man stellte als Aufklärungsreserve abermals eine verlorene Feindfühlung wieder her.

Trotzdem war der Fußspähtrupp ein Ausbildungsschwergewicht und es gab kaum ein Übung, wo man nicht ein- oder mehrmals zu Fuß unterwegs war. Man hoffte, einen erfüllbaren Auftrag zu erhalten, den man im gesteckten Zeitrahmen auch erledigen konnte – was selten genug der Fall war. Zu melden war über Funk

---

[1] Gem. TAB 1959 bis Kompaniestärke, gem. TAB 1975 ist die Stärke offen

[2] Aufklärungstruppe der mittleren Führung zur Erdaufklärung und führt diese motorisiert oder gepanzert durch.

Befehlsausgabe an den Fußspähtrupp. Mistelbach 1995.

üblicherweise zu bestimmten Meldezeiten[3] oder das Erreichen von festgelegten Meldepunkten[4], der Beginn des Fuß-Spähtrupps und erster Feindkontakt. Natürlich lag der Zeitpunkt der Durchführung des Fußspähtrupps in der Nacht. Hatte der Aufklärungszug nur ein Ziel aufzuklären, und ging es nicht bloß darum, die Leute in Bewegung zu halten, so setzte der Zugskommandant meist zwei Aufklärungsgruppen aus verschiedenen Richtungen auf das Ziel an und hielt sich die dritte Gruppe zur Verfügung (Sicherung und Ruhe). Somit ist bei der Aufklärungstruppe auch die Frage der Stärke des Spähtrupps geklärt: Aufklärungsgruppe von 10 Mann (ohne Kraftfahrer), die sich in zwei Trupps zu je 5 Mann teilen, oder eine starke Sicherung bei der Annäherung ausscheiden kann.

Die Befehlsausgabe bezog sich in dieser Phase nur für das Vorfahren mit den Fahrzeugen, Erkennungszeichen, Losungswort, allgemeines über den Fußspähtrupp und die Dauer. Was extra mitgenommen oder zurückbleiben sollte, Tarnung (geschwärzt wurden Gesicht und Handrücken mittels angebranntem Korkstoppel

[3] Zwischen den Meldezeiten kann Funkstille oder Funkabschaltung befohlen werden. Meldezeiten werden besonders bei Einsätzen im Rücken des Feindes befohlen. Darüber hinaus stellt es eine gute Hilfe bei Mangel an Funkgeräten dar, wo es zu verschiedenen Funkstellen die Verbindung zu halten gilt.
[4] Meldepunkte wurden als eine Art Zwischenaufklärungsziel betrachtet, an denen man „körperlich" anwesend sein musste. Normalerweise wurden Abzweigungen, Kreuzungen, Engen, Aus- oder Eingänge als Meldepunkt befohlen. Vielfach werden MP auch bei Verbindungsspähtrupps an Streifenwegen festgelegt.

oder Papier und später mit gekauften Tarnstiften), Fixierung von klappernden Teilen der Waffe und Munition, Bekleidung (Sportschuhe und Haube waren bei einigen Kommandanten anfangs nicht gerne gesehen, aber diese leisteten ausgezeichnete Dienste) usw. wurde bereits in einem Vorbefehl angeordnet. Üblicherweise war der Verfügungsraum des Aufklärungszuges oder der Kompanie -zig Kilometer entfernt vom Aufklärungsziel und die Spähtrupps mussten für einen Zeitgewinn von ihren Fahrzeugen bis zu einer Absetzstelle gebracht werden, wo diese meist als Relais – wegen der größeren Reichweite der Fahrzeug-Funkgeräte – zurückblieben. Befehlsausgabe für den Fuß-Spähtrupp, der vor allem die Entfernung und Art des Aufklärungszieles, gefordertes Ergebnis, Gefechtsform und Verhalten bei Feind zum Inhalt hatte.

Zurückgelassen wurde alles, was Lärm, Licht oder Glanz verursachte, die Bewegung behinderte und das Hör- oder Sehvermögen beeinträchtigte. War ein längerer Einsatz vorgesehen, so wurde die hinderliche Ausrüstung vor einer Zielaufklärung z.B. an einem „Zielsammelpunkt", zurückgelassen. Der Spähtrupp führte aber immer mit sich: Beobachtungsmittel (Fernglas, Nachtsichtgerät), Verbindungsmittel (Funk), Orientierungshilfen(Karte und Bussole), Taschenlampe und Leuchtpistole sowie Schreibzeug (Bleistift und Papier).

Absprachen mit vordersten Eigenen für die Rückkehr zur Vermeidung der Bekämpfung durch eigene Truppen (Frequenzen, Decknamen, Signale, Leuchtzeichen, Sperren etc.) waren in solchen Fällen selten notwendig, wurden aber ausgebildet.

Kriegsteilnehmer sagten aus, dass es besser ist, bei Tage zurückzukehren als bei Nacht, wo man durch die psychische Anspannung der Sicherungen Panikreaktionen hervorrufen konnte, die für den Spähtrupp fatal enden können. Und als Grundsatz galt: Komme grundsätzlich dort zurück wo du hinausgegangen bist!

Wurde die Aufklärungsgruppe geschlossen eingesetzt, so blieben die beiden Trupps „reinrassig" mit jeweils Kommandant, zwei Spähern (das war der PAR-Trupp, der sein PAR zurückließ und dafür seine Zweitbewaffnung, das Sturmgewehr, mitnahm) und den MG-Trupp. Die MG-Trupps konnten auch bereits von Beginn an als „Deckungstrupp" unter Führung durch den Trupp-Kommandant zusammengefasst werden. Im Ernstfall gibt letzterer bestimmt ein gutes Sicherheitsgefühl, denn wenn zwei MG losrattern, gibt es kein Nachstoßen durch den Gegner und die Stärke kann dieser dann auch nicht abschätzen. Ein rein passives Verhalten war jedoch mit einer solchen Truppe gar nicht so einfach zu bewerkstelligen. Zuerst musste daher ein Geräusch-/Sichtabstand zum zweiten Trupp bzw. Deckungstrupp eingenommen werden. Der Deckungstrupp wurde so ausgebildet, dass er bei Feuerkampf sofort rasch entwickelte und mit vergrößerten Abständen zwischen den beiden MG in Stellung ging – wenn er nicht bereits entwickelt hinter dem Spähtrupp vorging. Schlussendlich blieb der Deckungstrupp zur Sicherung des vorgehenden Spähtrupps zurück oder zog auf Befehl in eine neue Stellung nach. Teilte sich die Aufklärungsgruppe von Beginn an mit verschiedenen Annäherungsrichtungen, so erfolgte dieses Vorgehen ähnlich, nur im kleineren Rahmen. Die Führung erfolgte möglichst lautlos, in erster Linie durch Beispiel des Kommandanten und durch Zeichen.

Das Maschinengewehr sichert das Vorgehen des Spähtrupps. Mistelbach 1997.

Zum Schluss tastete sich der Spähtrupp von Horch-/Beobachtungshalt zu Horch-/Beobachtungshalt voran. Meist teilte der Kommandant den Spähtrupp noch einmal in einen Beobachtungstrupp und einen Annäherungstrupp. Denn auf den Erhalt der Kampfstärke kam es zumeist ja nicht an. Für den weiter vorgehenden Trupp kam nun die kraft- und moralraubende „Drecksarbeit": Besonders bei Schlechtwetter war das Robben und Gleiten keine Freude – auch wenn dadurch der Gegner weniger aufmerksam war. Hatte man vor sich eine Stellung erkannt, so robbte man ein Stück zurück und klärte an einer anderen Stelle auf. Das wiederholte sich mehrmals. Manchmal ritt einen der Teufel und man schlich sich – oft der Kommandant alleine – an einer undichten Stelle bis zum Lager durch, oder ging von hinten die Stellungen ab. Das war zwar Indianerspiel, aber äußerst spannend.

Da unter den beiden Trupps via zweier AN/PRC-6 „Bananen" oder TFF-21 Verbindung bestand, konnte man den zweiten Trupp informieren oder anders einsetzen. Meldungen konnten alsbald an das auf die Frequenz des Handfunkgerätes eingestellte PRC-77 des Trupp-Fahrzeuges und über das KFF-19 bzw. KFF-31 des Gruppenfahrzeuges nach oben abgegeben werden. Konnte die Aufklärungsgruppe aufgrund der Gegebenheiten über das Vorhandensein eines Gegners hinaus nichts feststellen (außer Geräuschen, Stimmen etc.), so versuchte man schließlich, nach dem Auseinanderziehen des Spähtrupps zur besseren Beobachtung auf zwei bis drei Beobachtungsstellen, durch das Ausleuchten mit Leuchtpistole eine Reaktion des Feindes herauszulocken. Man durfte dabei nur nicht direkt in das Licht blicken, sonst war man dann minutenlang nachtblind. Beobachtet wurde in der Nacht aus der Tiefe gegen den Horizont. Im Wald aus einer tiefen Position durch das unten weniger belaubte Buschwerk.

Nach der Späherei erfolgte die Rückkehr zum Deckungstrupp. Dort genauere Feststellung des Aufklärungsergebnisses auf der Karte bei abgeblendeter Taschenlampe und mit übergezogenem Regenschutz zur Lichttarnung. Kurze Mitteilung des Ergebnisses sowie der folgenden Absicht an die Gruppe. Einnahme der Gefechtsform und Rückkehr zu den Fahrzeugen.

Nach dieser allgemeinen Darstellung noch einige Details:

Die zu fordernde Ausbildung für die Späher besteht bloß in einer gediegenen Basisausbildung mit Gefechtsfeldbeobachtung, Melden/Meldungen überbringen, Geländeausnützen, Gefechtsformen, Selbst- und Kameradenhilfe sowie einer eingehenden Waffenausbildung, und geht nur insofern darüber hinaus, als dass jeder Mann des Spähtrupps ein einfaches Funkgespräch abwickeln und sich mittels Karte und Kompass im Gelände zurechtfinden können muss. Wenn das meiste auch der Spähtruppkommandant bzw. sein Stellvertreter besorgt, so muss doch jeder einzelne Späher zu einer gewissen Selbständigkeit (Stellungswahl, Melden usw.) ausgebildet werden. Geführt wurde vor allem durch Beispiel und Zeichen sowie Handeln im Sinne des Auftrages (Ausfall des Kommandanten). Vom Beispiel des Kommandanten lernt der Späher. Jede Ausbildung und Gefechtsübung stellt ein wichtiges Training für Kommandanten dar. Der Spähtruppkommandant kann aufgrund seiner Erfahrung im Spähen, Bewegen und Orientieren nur von vorne führen. Das war bei der Deutschen Wehrmacht und auch bei der Roten Armee ganz klar. Bei den Amerikanern hielt sich der Kommandant offensichtlich lieber hinter Nahsicherern auf. Dies wurde von uns oft ausprobiert, aber brachte kein befriedigendes Ergebnis. Also schlich der Kommandant vorne mit einem „Buddy", der in einem normalen Seitenabstand ging (also 8 bis 10 Schritte) und ihn bei seinen Tätigkeiten sicherte. Das war ein ausgesucht guter Mann. Auf Sicht, aber nicht viel weiter als ca. 20 Meter dahinter, folgten zwei Mann zu ihrer Sicherung in deren Spur. Oft wurde einem von diesen Leuten das Funkgerät umgehängt, um einen Geräuschabstand zu haben.

Die beiden Maschinengewehre als „Deckungstrupp" zusammengefasst (oder der zweite Trupp) folgten unter Führung des Truppkommandanten in Sichtabstand und einem größeren Seitenabstand zueinander, um im Falle eines Absetzens des vorderen Spähtrupps ein Vorbeischießen zu gewährleisten. Das konnte aber flexibel gestaltet werden. So konnte das MG des Gruppenkommandanten auch seine unmittelbare Nahsicherung übernehmen oder der „Deckungstrupp" wurde als Feuerschutz an einem Geländepunkt zurückgelassen.

Der Aufklärer lebt von Improvisation. Jede Situation ist anders und erfordert rasch gefasste Entschlüsse, die sowohl passiv als auch aggressiv sein können.

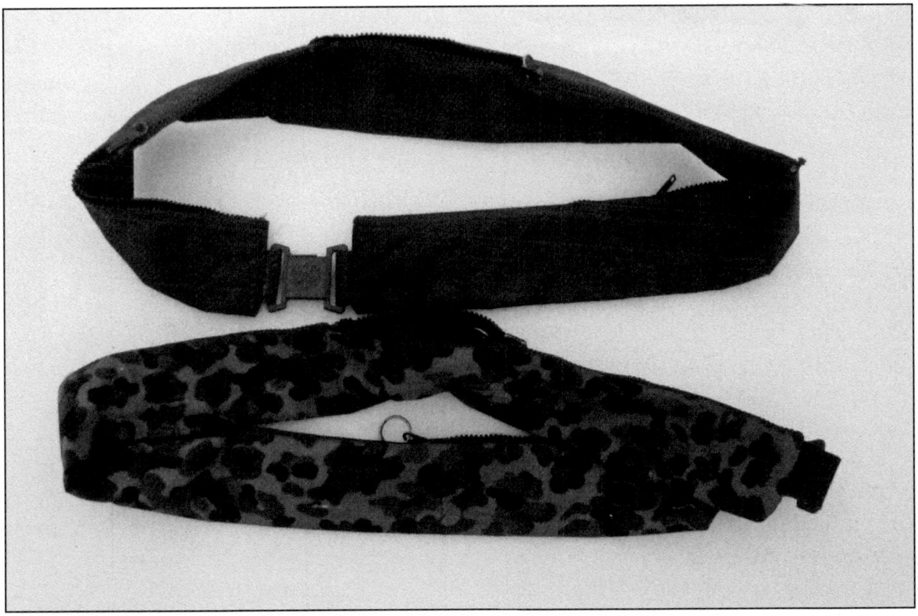

Gurtschlauch für die MG-Munition.

Bei der Munitionierung des MG-Gliedergurtes wurde vor den letzten 20 Schuss eine Patrone freigelassen. Der Verschluss fiel bei Erreichen des unmunitionierten Gurtgliedes leer in die Verriegelung und zeigte dadurch an, dass beim Schießen die Munition zu Ende ging und ein Nachladen erforderlich war. So war in gefährlichen Situationen noch eine Reserve vorhanden, die bis zum Gurtwechsel reichen sollte.

Übrigens benützten wir Schießverlegungen auf große Übungsplätze nebenbei auch dafür, um die Leuten auf die Abschuss- und Einschlaggeräusche der verschiedenen Waffen hinzuweisen. Ebenso auf Motor- und Kettengeräusche von Fahrzeugen – das schärft deren Sinn für die Gehör-Erkennung.

Geräuschtarnung für Waffen: Wir haben die Tragriemen-Schnallen mit Leukoplast umwickelt (ist besser als Klebestreifen). Das MG-Zweibein wurde mit zerschnittenen Fahrrad-Schläuchen oder Stoffstreifen fixiert. Das Zweibein wurde vor allem als Tragegriff verwendet. Ganz weglassen kann man es wegen der Hitzeentwicklung im Feuerkampf nicht. Zum Auflegen in Deckung braucht man das Zweibein nicht wirklich, da reicht als Auflage ein Baumstumpf, eine Astgabel oder ein Erdhügel. Ganz hinderlich sind die Gurtkästen. Wir haben aus alten Zeltplanen mit Reißverschlüssen verschließbare Gurtschläuche entwickelt, die man um den Oberkörper legte – zwei kreuz und quer.

Der Helm schränkt das Gesichtsfeld und Gehör erheblich ein. Bewährt hat sich die zum Sportanzug gehörende Haube oder die mit dem Schirm nach hinten aufgesetzte Kappe. Auch das Traggerüst behindert die Bewegung, besonders in Bodennähe. Die Einsatzdauer und die damit verbundene Mitnahme von Gepäck und anderen Ausrüstungsgegenständen entscheidet über seine Verwendung.

Orientierung: Ein „Verhauer" kostet zusätzlichen Zeit und Kraft, ist ein Sicherheitsrisiko für den Spähtrupp und gegebenenfalls für andere Eigene und stellt die Auftragserfüllung in Frage

Wer beim Fuß-Spähtrupp glaubt, in Feindnähe Wege benützen zu können, wird Misserfolg haben, denn dort sichert der Feind. Um auch das Zwischengelände überall zu sichern, reichen aber seine Kräfte nicht. Die Gefahr, entdeckt zu werden, ist dort weit geringer. Auch wenn es Zeit kostet: Schweiß spart auch hier Blut! Also Bussole heraus und rein ins Gemüse!

Der größte Teil des Aufklärungserfolges kommt auf Kartenlesen und Geländewahl, dann folgt (Gefechts-) Technik, wie Beobachtung, Feuerschutz und Bewegung, und dann auch Glück und Zufall. **Nur ein guter Orientierer ist auch ein guter Aufklärer!** Im feindgefährdeten Gebiet ging der Spähtrupp Wege meidend am „taktischen Waldrand" – also innerhalb des Waldrandes mit Sicht hinaus – vor. Im vermutlich feindbesetzten Abschnitt nur noch im Zwischengelände, vor allem mit Hilfe der Höhenschichtlinien. Abhängig von der Feindlage achtet der Spähtruppkommandant bei der Wegplanung auf „Bauernlinieale" in Form von sogenannten „Leiten", das sind in der Regel Hänge, die in eine bestimmte Richtung „leiten", und „Auffanglinien", das sind Waldränder, Bäche, Täler oder Kammlinien, die den Spähtruppteilnehmern eine Orientierung im Falle einer Zerschlagung des Spähtrupps ermöglichen, und mögliche Beobachtungspunkte. Es nützt den übrigen Spähern wenig, wenn der Spähtruppkommandant als ein trainierter Orientierungsläufer in kürzester Zeit für sich die schnellste Strecke von A nach B sucht und sich einprägt, dann diese beiden Punkte in der Karte mittels Bussolen-Kante verbindet, die Karte einnordet und losstartet. Vielmehr muss er darauf achten, dass das Vorgehen der Feindlage angepasst und für die Leute nachvollziehbar ist.

Unterwegs weist der Kommandant die Späher daher auf markante Anhaltspunkte hin. Wichtig ist auch das Festlegen von Sammelpunkten und die Wartezeit dort. Wir haben bei der Ausbildung mit den Leuten immer wieder das Absetzen und Beziehen von Sammelpunkten auf Entfernungen von 400 bis 800 Metern geübt. Wenn es nicht galt, beim Vorgehen (besonders am Tag) Bewegungslinien mit aufzuklären, so ging der Spähtrupp möglichst weit oben in Nähe der Kammlinie (des Berg- und Hügelgeländes im Wein- und Waldviertel), vermied aber einen „Horizontschleicher".

Für das Übersetzen von Wegen, Straßen, Brücken, freien Stellen usw. wurde ein kurviger oder ein möglichst unübersichtlicher Geländeteil ausgewählt, Sicherung nach links und rechts aufgebaut und dann erst einmal mit zwei Spähern übersetzt.

Friedensmäßiger Bussolenmarsch – Einweisung des Richtungsmannes. Mistelbach 1990.

Das Orientieren mit Sonne, Mond und Sternen wird in vielen Schriften ausführlich behandelt und soll hier nicht langatmig ausgeführt werden. Ich selbst habe es damit sehr genau genommen und jede sich bietende Gelegenheit genützt, dies den Leuten beizubringen. Zum Schluss reichte nur noch die Frage „Norden?" oder „Süden?" an einen bestimmten Mann. Nur Übung schafft Vertrauen – und ganz besonders im Umgang mit der Natur. Da die Auffindung des Polarsternes mittels Großem Wagen nicht immer reicht, zumal der Himmel teilweise mit Wolken oder im Wald durch Bäume verdeckt sein kann, habe ich die Möglichkeiten der Auffindung des Nordsternes ergänzt und den Leuten das „einprägsame Gegenüber" von vier Sternbildern um diesen eher wenig auffälligen Stern herum beigebracht , nämlich Großer Wagen und Großes „W" sowie Leier und Fuhrmann.[5] Wie nachhaltig das war, konnte ich bei einer zufälligen Begegnung mit meinem ehemaligen Zugtrupp-MG-Schützen nach vielen Jahren ersehen. Er erzählte mir, dass er durch meine intensive Ausbildung in dieser Richtung zum begeisterten Hobby-Astronomen geworden war. Mir selbst reicht bis heute eine rasche Bestimmung der Himmelsrichtung nach den Gestirnen.

Die Kommandanten aller Ebenen förderten das Orientieren nach besten Kräften. Fast jede Woche gab es einen Orientierungslauf oder -marsch. Waren die

[5] Genau ausgeführt in SPRUNG VORWÄRTS, Ausbildungsmagazin des Militärkommandos Salzburg, Nr. 12 (Sommer 1998) S. 14-18, Nachdruck in: BUDDY, Dislussionsforum ehemaliger Jagdkommandosoldaten, Nr. 4/2009, S. 5-8.

Felder kahl, dann auch Bussolenmärsche nach Marschzahl und ohne Karte. Die Hindernisse sollten dabei nicht zu groß und leicht umgehbar sein. Bei jedem Ziel befand sich ein Kontrollposten, der Marschzahl, Entfernung und Art des nächste Zieles angab. Angelaufen wurden die netzartig angelegten Punkte aus verschiedenen Richtungen. Die Ausarbeitung bedarf zwar einiger Arbeit, kann aber beim nächsten Mal – nach Überprüfung – wieder verwendet werden.

Ein schwer zu lösendes Problem stellen **Minen** dar. Ein Soldat der ehemaligen AufklAbt 101 erzählte mir aus seinen Kriegserfahrungen bei Spähtrupps im Waldgelände, dass sie mit langen Stangen den Boden vor sich nach Schützenminen abgetastet haben und danach, besonders bei Nacht, wenn sie eine Gasse errichtet oder gefunden hatten, eine Schnur an die Bäume gebunden haben, an denen sich die anderen vorhantelten. Dasselbe geschah auch bei eigenen Minen. Bessere Möglichkeiten scheint es auch heute für die Aufklärer nicht zu geben. Manche unserer Spähtruppkommandanten verwendeten den „Blindenstock", einen relativ langen und dünnen Stecken (Haselnuss- oder Hartriegel), um sich in mondlosen Nächten entlang von Wegen vorzutasten. Das war auch bei zu erwartenden Stolperdrähten oder Schepperbüchsen brauchbar. In schwierigen Situationen denke immer daran: Es ist kein Mittel so gering, dass es im Notfall nicht mal ging!

Zum **Verhalten bei Feind**: Aus einem Husarenreglement König Friedrichs des Großen (1743): Der Husarenoffizier soll den Feind „rekognosciren" (aufklären), wobei von ihm nichts weiter gefordert ist, als dass er genau beobachtet und dem kommandierenden Offizier meldet. „Weshalb ein Officier bey solchem Commando so viel wie möglich evitieren" (vermeiden) „muß, sich mit dem Feinde einzulassen, weil dieses nicht die Absicht, warum er ausgeschicket" (ist).

Der Spähtrupp kämpft also grundsätzlich nur zum Eigenschutz und vermeidet, wo immer es möglich ist, eine unmittelbare Feindberührung, denn sobald der Spähtrupp einmal entdeckt ist, wird die Durchführung seines Auftrages ungleich schwieriger. Wir bildeten so aus, dass ein rechtzeitig erkannter Feind durch Ausweichen und Deckung vorbeigelassen oder nach Umgehung der Auftrag fortgesetzt wurde. Natürlich wurde der Feind gemeldet. Wenn ein Entdecktwerden und damit ein Feuerkampf unvermeidlich war, befahl der Spähtruppkommandant – und das wurde ausgebildet – die hinterhaltartige Feuereröffnung oder den Überraschungsangriff auf einen unterlegenen Feind. Hier ist anzumerken, dass die Deutschen und Russen beim Einbringen von Gefangenen – das war ein Hauptziel der Spähtrupps – etwa zwei Drittel des angetroffenen Feindes niedermachten und vornehmlich jene, die zuerst die Waffe fallen ließen und die Hände hoben, als Gefangene einbrachten. Die wichtigste Quelle zur genaueren Feststellung des Gegenübers (Bezeichnung, Kommandant, Stärke, Absicht, Moral usw.) konnten nur Gefangene sein.

Zumeist setzte sich der Spähtrupp danach unter gegenseitiger Sicherung ab und versuchte, seinen Auftrag anderswo zu erfüllen. Das Absetzen erfolgte unter dem Feuerschutz des Deckungstrupps oder flügelweise aus der Schützenkette her-

Spähtrupp. Mistelbach 1995.

aus, wobei sich die beiden Trupps wechselweise überschlagend vom Feind lösten.

Dazu Erfahrung aus dem Zweiten Weltkrieg: Der Eindruck einer Flucht und damit die Verlockung eines Nachstoßens eines überlegenen Feindes kann durch massives Feuer, sprungweises/überschlagenes Zurückgehen und baldiges seitlichen Ausweichen verhindert werden. Sehr gute Dienste leisten auch Nebel- und Splittergranaten. Splitterhandgranaten dürfen nur auf Befehl des Spähtruppkommandanten geworfenwerden, da bei unkontrolliertem Einsatz die sich absetzenden Späher getroffen werden könnten. Noch idealer ist die Unterstützung von Steilfeuer, das durch den Spähtruppkommandanten ausgelöst wird.

Für die Spähtrupps der Infanterie sagt die A.V.I. Heft 2a in der Ziffer 200: „Der Spähtrupp soll sehen und melden. Den Kampf soll er nur suchen, wenn er

Fußspähtrupp in der Gefechtsform „Viereck". Mistelbach 1993.

zur Durchführung des Auftrages nötig ist." Und bei Ziffer 201 heißt es: „Treffen Spähtrupps mit feindlichen Aufklärungs- und Sicherungskräften zusammen, liegt es meist im Sinne des Auftrages, diese zu umgehen oder vorbeizulassen. Bei Zusammenprall mit feindlichen Spähtrupps ist unverzüglich anzugreifen."

Wege wurden auch deshalb gemieden, besonders bei feuchtem Wetter mit aufgeweichten Wegen oder Schneelage, weil dort Fußspuren hinterlassen wurden.

Geübt, aber bei Übungen nicht wirklich angewendet – weil einfach nicht notwendig – wurde bei Schneelage das Anlegen von Scheinspuren durch einen Teil der Gruppe, Diese setzten ihren Weg fort, während ein kleinerer Teil an geeigneter Stelle „absprang", um sich einem bestimmten Spähauftrag zu widmen. Diese Absprungstelle war eine apere Stelle, hohe Grasbüschel in denen der Schnee beim Hineinsteigen zusammenfiel und so die Spur automatisch tarnte oder dicht stehendes Stangenjungholz, an dem man sich sozusagen „durch die Luft" hinweg hantelte. Das Umwickeln der Stiefel mit Stoffresten oder Gras zur Vermeidung oder Verwischung von Spuren und Dämpfung von Geräuschen, wurde ebenfalls geübt – aber war bei den Übungen nicht notwendig – und eher hinderlich."

Ein wichtiger Grundsatz, und dieser wurde bei Spähtrupps und besonders bei stehenden Spähtrupps konsequent eingehalten: „Weg vom Eck" – das heißt Orts- oder Waldecken, also hervorspringende und deshalb auffällige Geländeteile, wurden ebenso wie Höhen, gemieden. Bewegung und Beobachtungstellen lagen abseits davon. Heute wird das bei den modernen Sichtgeräten nicht mehr viel nützen.

Ein sowjetischer Spähtrupp mit einer „Zunge". Quelle: https://ok.ru/infanterie/topic/62221512281067.

Anhang[6]

Nachstehend einige Berichte über die russische Aufklärung im Rahmen 7.Gardearmee der 2.Ukrainischen Front aus dem Raum des nordöstlichen Niederösterreich (Übersetzung Franz Jordan).

Aufklärungsplan, Stab 7.Garde-Armee vom 11. bis 17. April 1945

Ziel:

1. Alle Aufklärungskräfte stellen fest, in welche Richtungen die feindl. Gruppierungen, die Verbände 153.InfDiv, 711.InfDiv, 211.InfDiv, 48.InfDiv, 76.InfDiv sowie die ungar. 27.InfDiv zurück gehen.
2. Feststellung von Konzentrationsräumen feindlicher Reserven im Bereich Mikulov-Laa.
3. Feststellung der Anlage der feindlichen Verteidigung am Taschlbach und im Raum Großkrut, Mistelbach und an der Thaya.

[6] Quellen: Отчет о разведке в боях, Период с 23.04.1945 по 09.05.1945 г.; Архив ЦАМО, Фонд 341, Опись 5312, Дело 933, Документ 21.

Aufklärungsplan, Stab der 7. Garde-Armee vom 4. bis 10. April 1945
(Seiten 1-4)

Aufgabe/Aufklärungsziel	Durchführung/ Aufklärungskräfte	Zeitpunkt der Aufklärungs-bereitschaft	Zeit des Aufklärungseinsatzes Beginn	Ende	Aufklärungsreserve	Zeit, Methode und Ort
A. Gefechtsaufklärung						
1. Einbringen von Kontroll-Gefangenen im Raum Malacky zur Überprüfung der 13. PzDiv und Richtung der Hauptkräfte	Organisation durch Chef/Aufkl des 27.GdSchKps unter Teilnahme von jeder Division	1.-5.4.	5.4.	6.4.	Eine AufklGrp der AufklKp jeder Division	Um 0800 Uhr des 5.4. 1945 über Telefon an AufklOffz/Armeestab
2. Einbringen von Kontroll-gefangenen zur Bestätigung der 46. und 153. InfDiv bei Plavecky Stvrtok, Lab, Lozorno und welche Feind-kräfte in welcher Richtung	Organisation durch Chef/Aufkl des 24.GdSchKps					
3. Einbringen von Gefangenen und Dokumenten im Abschnitt Wald westlich des Gehöfts Kruby-Zahh. Bystrica, welche Kräfte dort verteidigen	Organisation durch Chef/Aufkl des 25.GdSchKps, Einsatz von Teilen der AufklKp von jeder Division					
4. Einbringen von Gefangenen und Dokumenten im Raum Dubravka-Devin sowie Feststellen des Zurückgehens des Feindes.	Organisation durch Chef/Aufkl des 23.GdSchKps, Einsatz von Teilen der AufklKp von jeder Division	4.4.	4.4.	5.4.		
5. Aufklärung in der Tiefe, Einbringen von Gefangenen und Dokumenten aus der Tiefe der feindlichen Verteidigung im Raum Ringelsdorf-Dürnkrut-Stillfried-Zwerndorf. Dev.N.V. und a. Feststellung der Feindkräfte b. Richtung des Rückzuges der feindlichen Hauptkräfte sowie Annäherung von mot/mechKräften an die Frontlinie; c. Beschaffenheit des Westufers der Morava.						

6. Einbringen von Gefangenen und Dokumenten im Bereich Wald westlich Mal. Levare-Gajary-Hochstetno-westlich Zohor-westlich Stupava a. Zugehörigkeit der Kräfte b. Beschaffenheit des Westufers der March	Der Kommandeur der 10. selbst. motAufklKp setzt 3 TiefenAufkl Grp zu 6-7 Mann ein. Für Vorbereitung und Einsatz der AufklGrp ist der Kdt der AufklKp und der AufklOffz/Armeestab, Kap. Neljubin, verantwortlich.	3.-4.4.	4.4.	7.4.	2 TiefenAufklGrp	Vollzugsmeldung an AufklOffz/Armeestab am 7.4.1945
B. Spezialaufklärung						
7. Pionieraufklärung: a. Charakter und System der pioniermäßigen Befestigungen und Sperren des Feindes am Westufer der March	Organisation durch Chef/Stb der Pionierkräfte/Aufkl, GdMjr Golubinsky; Einsatz der AufklKp der 60. Pionier/Sappeur-Brigade, 3 Trupps zu je 3-5 Mann und Kräften der Divisionspioniere.	4.4.	5.4.	7.4.	2 AufklKp der 60. PionierBrig	Vollzugsmeldung an AufklOffz/Armeestab am 7.4.1945,
8. Artillerie-Aufklärung sammelt Angaben über feindliche Artillerie-/Granatwerfereinsätze, stellt Beobachtungsstellen und Feuerstellungen fest	AufklChef/Artilleriestab GdObstlt Jarov.		4.4.	10.4.		Bis 10.4. an AufklOffz/ Armeestab
C. Luftaufklärung						
9.Feststellen der Art von Verschiebungen von feindlichen mot/mechKräften auf den zur Front führenden Straßen, bes. von Feindkräften am Westufer der March.	Gemäß AufklOffz d. Stb 2. UF		5.4.	5.4.		
D. Andere Arten der Aufklärung						
	Leiter Abt-2 AufklOffz/Armeestab Gefangenenaussagen ...	laufend			gez. der Chef der Aufklärung der 7. Gardearmee GdObst Ryschov	

Quelle: Отчет о разведке в боях, Период с 23.04.1945 по 09.05.1945 г.; Архив ЦАМО, Фонд 341, Опись 5312, Дело 933, Документ 21.

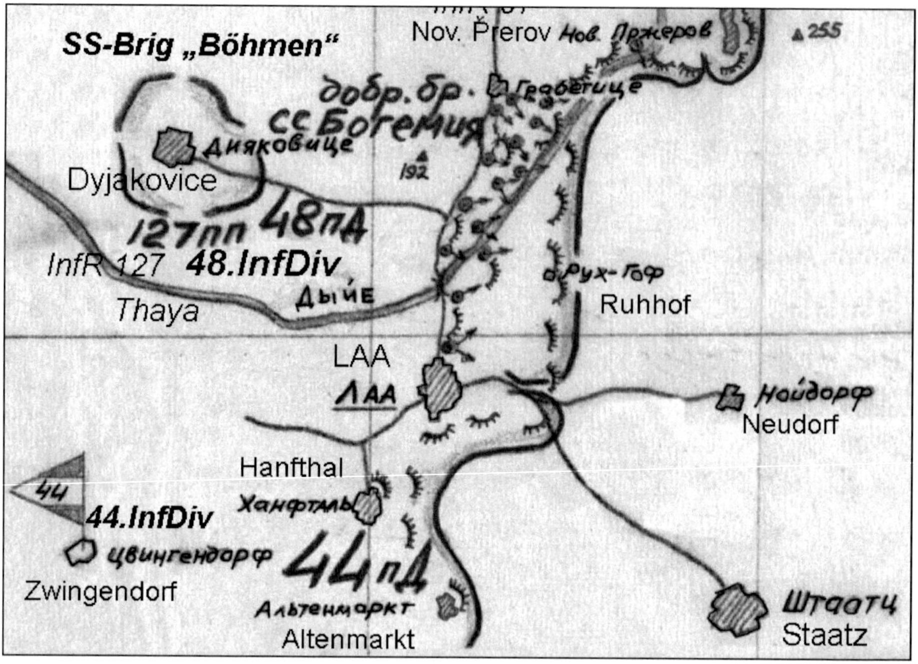

Skizze der von der sowjetischen Aufklärung aufgedeckten Stellungen und schweren Waffen (hauptsächlich MG) der Deutschen im Raum Laa an der Thaya. Durchgezogen die HKL der Russen.

4. Absendung der Aufklärungsgruppen in die Tiefe des Gegners zur Einbringung von Gefangenen und Dokumenten, Feststellung von Reserven und Mot-/Mech-Kräften sowie das Zurückgehen der Hauptkräfte des Feindes.

(Raster wie umseitig)

Gefechtsaufklärung:

Im Abschnitt des **27.GdSchKorps** hatten alle Divisionen aufzuklären und dabei: Gefangene und Dokumente einzubringen in den Räumen: Wald südlich Lanzhot-westlich Hohenau-Drösing-Sierndorf-Dürnkrut, um den Einsatz der 357.InfDiv, der 711. und 48.InfDiv sowie neue Kräfte festzustellen.

Im Abschnitt des **24.GdSchKorps** hatten alle Divisionen aufzuklären und dabei Kontroll-Gefangene der 153.InfDiv und 211.InfDiv einzubringen in den Räumen: Waidendorf und Ebenthal.

Im Abschnitt des **25.GdSchKorps** hatten alle Divisionen aufzuklären und dabei Gefangene und Dokumente einzubringen in den Räumen: Spannberg, Gemeindewald, um den Einsatz der 101.JgDiv und 76.InfDiv festzustellen.

Russischer Späher. Quelle: https://ok.ru/infanterie/topic/62221512281067.

Im Abschnitt des **23.SchKorps** hatten alle Divisionen aufzuklären und dabei Gefangene und Dokumente einzubringen in den Räumen: Matzen, Reyersdorf, um den Einsatz der der GrenBrig 92 und neuer Kräfte festzustellen.

Tiefenaufklärung zur Einbringung von Gefangenen und Dokumenten in den Räumen:

a) Valtice, Prinzendorf, Herrnbaumgarten durch 27.GdSchKorps
b) Großkrut, Bullendorf durch 24.GdSchKorps.
c) Wilfersdorf, Mistelbach, Obersulz durch 25.GdSchKorps.
d) Paasdorf, Ladendorf durch 23.SchKorps durch eine Gruppe von 3 bis 5 Mann.
6. Einbringung von Gefangenen und Dokumenten in den Räumen: Mikulov, Wildendürnbach, Neudorf, Staatz ... durch 10.selb.MotAufklKp.

Einweisung eines russischen Spähtrupps. Quelle http://histomil.com/viewtopic.php?f=95&t=3918&start=2500.

Bericht Chef Aufkl/ 7.Gardearmee: Truppenaufklärung an der Thaya-Linie und westlich davon zu Kriegsende im Mai 1945[7]

S.1 Die Kräfte der 7.GdArmee befanden sich im Verteidigungskampf am Ostufer der Thaya und in der Errichtung eines Brückenkopfes am gegenüberliegenden Ufer des Flusses im Raum ostwärts von Pasohlavky (Weißstätten). Nachbarn: Rechts die 53. Armee und links die 9.GdArmee. Zu Ende des 23.4.45 hatte sich der Gegner über die Thaya zurückgezogen und leistet dort unter Gegenangriffen harten Widerstand, sodass ein weiteres Vorrücken und Überwinden des Flusses nicht möglich war und dieser die Errichtung eines Brückenkopfes südlich und nördlich von Novosedly und im Raum Laa verhinderte.

Aufgrund des unvorteilhaften Stellungsverlaufes im Raum Pohořelice griffen unsere Kräfte zur Verbesserung der Linie weiter an. Aufgrund dessen verschob der Gegner aus dem Raum Laa am 25.4.45 die 13.PzDiv (FH-2) in den Raum Pasohlavky; die 6.PzDiv, soweit aus Aussagen festgestellt, unter dem ehemaligen

[7] Quelle: Отчет о разведке в боях, Период с 23.04.1945 по 09.05.1945 г.; Архив ЦАМО, Фонд 341, Опись 5312, Дело 933, Документ 21.

Ein Spähtrupp im Geäst eines Baumes. Quelle http://waralbum.ru.

Kdr des PzGrenRgt 114/6.PzDiv, Obstlt Stahl, konzentrierte 20 km nördlich von Laa. Am 1.5.45 wurde die 25.PzDiv aus der ersten Linie der Verteidigung von Laa herausgezogen und kam in die Reserve des Panzerkorps „Feldherrnhalle" (FH) im Raum Moravsky Krumlov. Am 7.5.45 hielt der Gegner die bisherige Linie, führte Feuerkampf und gruppierte zur Verbesserung seiner Position in Verbindung mit dem Rückzug um und führte die 13.PzDiv in die Reserve des PzKorps „FH" und verschob die 211. InfDiv aus dem Raum (nördlich) Laa.

Während der Vorbereitungen für den Durchbruch der feindlichen Verteidigung erhielt der Chef Aufklärung der Armee folgende Aufgabe:

1. Feststellung der Gruppierung und Stärke des Feindes.
2. Feststellung des Verlaufes der Hauptkampfline (HKL).
3. Aufdeckung des feindlichen Feuersystems, Feuerstellungen der Artillerie und Granatwerfer (GrW).
4. Feststellung von Sperren und Minenfeldern.
5. Feststellung von Einzelheiten …
6. Taktische Reserven …
7. Während des Angriffes Erkennen des Rückzuges der Hauptkräfte des Feindes
8. Reserven in der Tiefe …

Planung der Aufklärung: Die gesamte Aufklärungsarbeit der Armee erfolgte gemäß dem Befehl ChefAufklärung und der Weisungen des Aufklärungsoffiziers der 2.Ukrainischen Front. Die Erstellung des Aufklärungsplanes der Armee dauerte 10 Tage. Der Plan enthielt die Aufgabe, den Raum, den Zeitpunkt und Mittel der Aufklärung. Die Aufgabenstellung erging in einem schriftlichen Befehl, welcher das konkrete Ziel, die einzusetzenden Kräfte bzw. Aufklärungsorgane von Spezialkräften und die Stärke beinhaltete. Die Aufklärungsabteilung des Korpsstabes benötigte 5 bis 6 Tage …

Form und Methode der Aufklärung: Spähtrupps (Nacht und Tag), Hinterhalte, Handlungen kleiner Spähtrupps in der Tiefe des Feindes, Einbringung von Gefangenen und Erbeutung von Dokumenten, Verbindung und Beobachtungsziel. Bei der Verfolgung des Gegners Aufkl. in den Rücken des Gegners mit 10 bis 25 Mann.

Beispiele von Aufklärungseinsätzen (Auszüge):

Beispiel Nr. 2: Der Spähtrupp der 365.selbst. AufklKp/303.SchDiv zu 8 Mann unter Starschina Schorochov hatte die Aufgabe, Gefangene im Raum Ruhhof (bei Laa a.d.Th) einzubringen. Vorbereitungszeit: 1 Tag. Die Gruppe studierte genau den Feind, Annäherungs- und Rückzugsweg. Beginn des Einsatzes um 0200 Uhr. Die Gruppe drang, ohne das Feuer des Gegners auf sich zu ziehen, vor, sprang auf einer Entfernung von 40 Metern los und konnte einen Gefangenen einbringen …

Beispiel Nr. 5: Der Spähtrupp der 365.selbst. AufklKp/303.SchDiv zu 8 Mann unter Starschina Schorochov hatte die Aufgabe, Gefangene am Westufer der Thaya im Raum Mitterhof einzubringen. Im Laufe des 24.4.45 wurden das Gelände, Annäherungsweg und Plan der Durchführung genau studiert. Am 25.4.45 näherte sich der SpäTrp an die Feindlinie heran und erreichte die Brücke westlich des Mitterhofes. Zu diesem Zeitpunkt bewegten sich vom Mitterhof in Richtung Wildendürnbach drei Feindsoldaten. Da Starschina Schorochov deren Rückkehr erwartete, teilte er zwei Mann als Sicherung ein und schlich mit den übrigen Soldaten hinterher. Als die Feinde zurückkehrten schossen die Aufklärer mit ihren MPi einige kurze Feuerstöße auf 30 Meter, wobei zwei Feinde vernichtet wurden und einer sich ergab und gefangen nehmen ließ.

Beobachtung: Im Zeitraum der Vorbereitung des Durchbruches wurde der Beobachtung durch alle Arten der Gefechts-/Truppen-Aufklärung große Aufmerksamkeit geschenkt. Alle Teilverbände und Verbände der Armee hatten Beobachtungsstellen eingerichtet, aus denen die Tätigkeiten und das Feuersystem der feindlichen Verteidigung aufgeklärt wurde. In jeder Division waren zwei Beobachtungs-Stellen angelegt und in den Regimentern und Bataillonen eine. In der Divisions-Beobachtungs-Stelle befanden sich ein Aufklärungsoffizier oder ein erfahrener Sergeant. Die Verbindung wurde durch Telefon und Funk sichergestellt. In jeder Beobachtungs-Stelle der Armee und der Korps befanden sich Ferngläser

Eine „Zunge". Quelle http://www.mywebs.su/blog/history/11183/).

und Stereo-Beobachtungsgeräte (Scherenfernrohre).

Im Laufe des Angriffes wurden die Beobachtungs-Stellen beweglich gehalten und versorgungsmäßig aufgefüllt. Diese zogen sprungweise in neue Beobachtungs-Stellen nach, welche eine möglichst weite Beobachtung in die Tiefe des Gegners gewährleisten sollten. Zum Beispiel: Die Beobachtungsstelle der 25.SchDiv beobachtete am 25.4.45 aus dem Bereich Steinberg die Bewegungen von 24 Panzern, 30 Schützenanzern und 50 Kraftfahrzeugen aus dem Raum Stronsdorf in nördliche Richtung. Zugleich wurde die Annäherung von kleinen Gruppen Infanterie festgestellt. Der Gegner gruppierte also um und löste eine Panzerdivision durch eine Infanteriedivision ab. Gemäß der Aussagen von in der Nacht zum 26.4.45 eingebrachten Gefangenen wurde die 13.PzDiv (FH-2) an die rechte Flanke der Armee (russ.) verlegt und durch die 44.InfDiv ersetzt.

Artillerie-Aufklärung: Die Artillerieaufklärung stellte vor Angriffsbeginn 248 Geschütze fest, was in einem Frontabschnitt von 40 km eine Dichte von 6 Rohren pro Kilometer bedeutete. Darunter befanden sich vor der Armee ca. 60 Artillerie- und Granatwerferbatterien verschiedener Kaliber.

Pionieraufklärung: Aufgabe der Pionieraufklärung im Laufe der Vorbereitung für den Durchbruchsangriff und Verfolgung des Gegners war es:

1. Aufklärung/Erkundung (im Russischen keine Unterscheidung) des Thaya-Flusses.
2. Aufklärung/Erkundung der Piониersperren vor den feindl. Verteidigungslinien.
3. Aufklärung/Erkundung der Pioniersperren auf den Bewegungslinien und Zwischen-Kampflinien ...

Verhör von Gefangenen (im sowjetischen Soldatenjargon: „Zungen"): Die eingebrachten Gefangenen wurden durch Aufklärungsoffiziere der Armee einvernommen. Die Gefangenen brachten Auskünfte über die Gruppierung und Zusammensetzung, über den personellen und materiellen Bestand, den politisch-moralischen Zustand und den Raum der Reserven des Gegners ...

Kurzreichende Fernmelde-Aufklärung: Der Fernmelde-Aufklärungs-Zug arbeitete mit den Verbindungsmitteln (in der Verteidigung) nicht weit von der (eigenen) Hauptkampflinie (HKL) bzw. (im Angriff) den Bewegungen der Vorausabteilungen und fing die Tätigkeit der feindlichen Funkgeräte ab. Unsere Kräfte der Nah-Funkaufklärung überwachten ununterbrochen, vor der Front der Armee eingesetzt, die Funksprüche der Panzer und Selbstfahrlafetten-Geschütze des Feindes ...

Walter Petschnig

Spähtrupperfahrungen

Aufklärung wird zumeist von Spähtrupps durchgeführt und oft vom Kommandanten persönlich angesetzt. Daraus ersieht man schon ihre Bedeutung eines solchen Einsatzes und die hohe Verantwortung eines Spähtrupps. Der Spähtrupp hat aufzuklären, festzustellen, zu erspähen, eben schauend herauszufinden, und zwar so, dass der Feind nichts davon merkt. Um das aber erfolgreich durchzuführen, bedarf es großer Anstrengung und vor allem eiserner Disziplin!

Was mir persönlich aber noch viel wichtiger erscheint, ist eine richtige Einstellung: Sich in die Lage hineindenken, ich möchte fast sagen, sich unsichtbar machen wollen, immer mit dem Gedanken, nur ja nicht gesehen zu werden. Das darf aber nicht dazu führen, dass man sich nur versteckt – ein solches Verhalten wäre selbstverständlich falsch.

Vorsicht ist nach dem ersten Erfolgserlebnis geboten: Gelingt es dem Spähtrupp einmal, unerkannt zu bleiben, dann besteht leicht die Gefahr der Selbstüberschätzung: „Mir kann ohnedies nichts passieren, ich bin so gut, dass mich keiner sieht!" Man wird nachlässig, disziplinlos und dann passiert es eben, dass man aufläuft oder zu viele Spuren hinterlässt.

Es ist nicht einfach, als Spähtrupp erfolgreich zu sein und man braucht schon einige Erfahrung, um gute Aufklärungsergebnisse zu erbringen.

Es erfordert vor allem geistige Arbeit, um sich immer in der Rolle des Versteckten zu fühlen, misstrauisch gegen alle zu sein und Tag und Nacht alle Sinne auf Empfang gestellt zu haben. Das gilt für alle Spähtruppteilnehmer, denn der Fehler des Einzelnen hat Folgen für den gesamten Spähtrupp. Ich hatte einmal einen Bahnhof aufzuklären und beobachtete die Sicherungen bei Nacht mehrere Stunden lang. Dann entschloss ich mich, auf die andere Seite zu wechseln, und dazu mussten wir die Gleise überwinden. Zu unserem Nachteil war vor uns eine kleine Böschung, auf der die Schienen verliefen. Ich befahl meinen drei Spähtruppteilnehmern, über die Schotterböschung zu gleiten, aber nur zwei von ihnen taten das auch wirklich. Der dritte kümmerte sich nicht um Vorsichtsmaßnahmen, rutschte beim Gehen am Schotter aus und alarmierte damit die gut 200 m entfernte Sicherungsgruppe. Die kam wie wild herangelaufen und wir mussten uns schleunigst absetzen. Für diese Nacht war es vorbei mit dem Aufklären und das nur deshalb, weil ein Mann undiszipliniert war und so den ganzen Spähtrupp verraten und gefährdet hat.

In der Abfolge der Tätigkeiten eines Spähtrupps stehen am Anfang die Befehlsausgabe und die Vorbereitung. Die Befehlsausgabe ist vor allem für den Spähtruppkommandanten von Bedeutung. Der muss versuchen, von dem Kommandanten, der ihn einsetzt, alle Informationen zu erhalten, die er zusätzlich zu benötigen glaubt (Luftbilder, Einsicht in die Lagekarte u.a.m.) sowie alle ergänzenden Informationen, die ihm die Auftragserfüllung erleichtern. Leider herrscht im Frieden die Tendenz, dass alles viel zu schnell gehen muss und die Kommandanten vor allem zu große Marschleistungen verlangen, um sagen zu können: Meine Leute schaffen 40 Kilometer in der Nacht! Und genau das ist als Spähtrupp nicht möglich!

Sicherlich kann der Spähtruppkommandant seinen Auftrag nicht ablehnen, aber er sollte versuchen, aus seiner Sicht zu argumentieren. Mit den meisten Kommandanten wird man eine Linie finden und zusammenarbeiten können, aber es gibt auch solche, die nicht viel über Spähtrupps wissen. Vor allem sind es die Leute der mechanisierten Truppe oder von motorisierten Verbänden, die aus der Sicht des Panzer- oder LKW-Fahrers denken und nicht verstehen können, dass man bei Tag nicht über eine freie Fläche spazieren kann. Natürlich sind Umwege ein Zeitverlust, aber das Motto heißt immer noch: Viel sehen und nicht gesehen werden!

Ich möchte damit zum Ausdruck bringen, dass man seine Bedenken stets sofort äußern sollte, denn vor der Befehlsausgabe ist noch Zeit, manches zu klären. Ist das Spähtruppunternehmen einmal befohlen, dann heißt es nur noch Durchführen, selbst wenn die Lage aussichtslos erscheint; es ist nun einmal das Los des Soldaten, dass nicht der Einzelne zählt, sondern die Kosten-Nutzen-Rechnung stimmen muss. Auch das ist richtig zu verstehen: Sich über die Aufgabe im Klaren sein und die Verantwortung über den Spähtrupp übernehmen!

Besteht die Möglichkeit, sich die Leute für einen Fußspähtrupp auszusuchen, so sollte man möglichst naturverbundene, körperlich gute, disziplinierte, eher ruhige und verlässliche Männer auswählen.

*

Zur Vorbereitung sollte man jede Minute nützen, denn häufig wird die Sache zu locker genommen: Kein sorgfältiges Kartenstudium, keine genaue Kontrolle von Bekleidung und Ausrüstung und anderes mehr. Hier muss der Spähtruppkommandant in seinem Vorbefehl alles genau anordnen und auch überwachen! Je besser und disziplinierter die Leute sind, umso mehr Zeit verbleibt dem Spähtruppkommandanten, sich auf seine Befehlsausgabe zu konzentrieren. Und bereits hier beginnt der gemeinsame Erfolg oder Misserfolg. Es sind meist die Kleinigkeiten, die vernachlässigt werden: Es weiß ja jeder, wie es geht, und man findet es eben nicht notwendig, alles konsequent durchzuführen. Gerade in der Vorbereitungsphase, wo es gilt, Gerät und Ausrüstung zu überprüfen, ist das von größter Bedeutung. Denn im Wald kann ein beschädigtes Traggerüst nicht mehr umgetauscht werden, wohl aber nach sorgfältiger Kontrolle in der Vorbereitungsphase. Genauso müssen die Schuhe, der Feldanzug und das übrige Gerät genau überprüft und – wenn beschädigt – sofort ausgetauscht werden.

Alles nach dem Motto: Vertrauen ist gut, Kontrolle ist besser! Auch muss der Spähtrupp nochmals vor Antritt des Unternehmens vom Kommandanten genau überprüft werden, denn dessen Verantwortung ist ungeteilt. Gerade in Spähtrupps, in denen sich die Leute untereinander gut kennen, besteht die Gefahr, dass nur kurz gefragt wird: „Habt's alles gepackt und kontrolliert?" und viele Kommandanten geben sich mit dem Nicken ihrer Leute zufrieden. Das ist zwar der angenehmere Weg, aber mit Sicherheit nicht der richtige! Natürlich wissen Leute, die schon einige Spähtrupps hinter sich haben, was sie alles brauchen und zu kontrollieren haben. Trotzdem muss auch der Erfahrenste selbst kontrolliert werden. Wir sind

Soldaten und haben das über uns ergehen zu lassen, selbst wenn der Kommandant unser bester Freund ist.

Achten wir also auf Kleinigkeiten, wie beispielsweise die Geräuschtarnung: Springe nur einige Male mit voller Ausrüstung – es scheppert sicherlich etwas im Gepäck oder am Traggerüst: Bei der Tarnung – gleichgültig ob Tag- oder Nachttarnung – sind auch die Hände geschwärzt, vor allem die Handkanten. Das Tragen von Handschuhen ist schlecht: Spätestens dann, wenn der Mann warmgelaufen ist, zieht er die Handschuhe wieder aus und ist an den Händen ungetarnt. Auch der Nackenbereich wird oft vernachlässigt!

Ich erinnere mich an ein Beispiel vor etlichen Jahren im Rahmen einer größeren Übung auf der Kärntner Saualm. Wir sollten im Zugsrahmen den Sender auf dem Speikogel (2040 m) überfallen und den Sendemasten sprengen. Der Zug marschierte schon gut zwei Stunden ständig bergauf. Der Zugskommandant – ein Reserveoffizier – verkofferte sich aber immer wieder, sodass die Leute schon recht verärgert waren über die Umwege und Halbkreise, die er drehte. Auch wurde die Zeit immer knapper. Schließlich wurde ich zum Orientieren eingeteilt, um den Zug endlich an das Angriffsziel heranzuführen.

Die zuvor durchgeführte Aufklärung hatte ergeben, dass an der Ostseite des Objekts auf der freien Almwiese keine Sicherung vorhanden war. Also näherten wir uns aus dieser Richtung. Ich marschierte mit einem zweiten Mann etwa 50 Meter vor dem Zug, als ein größerer Felsen uns den Weg zu versperren drohte. Ich ließ den Zug halten. Ein Umgehen dieses Hindernisses schien mir nicht möglich zu sein; daher schlich ich leise heran und die fünf bis acht Meter auf den Felsen hinauf. Man brauchte nicht zu klettern, in einer Art Kamin ließ sich gut hinaufsteigen. Knapp unterhalb des höchsten Punktes tauchte urplötzlich und keine drei Meter von mir entfernt die Silhouette eines feindlichen Soldaten auf, der langsam nach links ging. Ich gab meinem zweiten Mann sofort ein Zeichen und wir pressten uns an den Felsen. Unser feindlicher Soldat hatte ein menschliches Rühren verspürt und gedachte, diesem Drang über unseren Felsen herunter nachzugeben. Wir befanden uns fast in seiner Ziellinie, trotzdem verharrten wir regungslos. Da rief er auf einmal „Wer ist da?“ – wir waren entdeckt! Im Umdrehen gab ich zwei Schüsse auf ihn ab, warf eine Handgranate und stürmte auf den Felsen hinauf. Mein „Feind“ war unbewaffnet. Er war MG-Schütze 1 in einer gut ausgebauten MG-Stellung just auf unserem Felsen, etwa 200 m vor dem Angriffsziel. Diese Stellung war von unserer Aufklärung entweder nicht erkannt oder aber erst in dieser Nacht eingesetzt worden – wie so oft, wenn der Angriffstermin bekannt war.

Warum aber hatte uns der pinkelnde Soldat erkannt? Ihm war ein heller Fleck am Felsen aufgefallen, wie er bei der Schiedsrichterbesprechung berichtete. Und dieser helle Fleck war der ungetarnte Nacken meines Hintermannes! Die MG-Schützen kannten jede Einzelheit in der Umgebung ihrer Stellung und der helle Fleck da war neu. Am Zielsammelpunkt war vergessen worden, nochmals die Tarnung zu überprüfen. Wohl wegen des Zeitdruckes, aber die Folgen hätten im

Ernstfall schlimm sein können.

Der Überfall war trotzdem erfolgreich. Unser Unterstützungselement ging gleich am Felsen in Stellung, der Sturm war zwar etwas weiter als geplant, aber der Einbruch ist trotzdem gelungen.

Dieses Erlebnis wird mir immer in Erinnerung bleiben, denn es zeigt in seltener Deutlichkeit, dass Kontrolle besser ist als Vertrauen. Natürlich war der Mann richtig getarnt vom Lager abmarschiert, aber beim Marschieren hatte er geschwitzt und sich öfter den Nacken abgewischt. Damit hatte er dort aber auch die Tarnung entfernt. Spätestens am Zielsammelpunkt hätte das aber seinem Kommandanten auffallen müssen. Übrigens sollte man immer etwas Papierruß in einem Plastiksack bei sich führen, um in Pausen oder beim Marschhalt nachtarnen zu können.

*

Ein leidiges Thema ist auch das Orientieren!

Gerade in der Vorbereitungsphase wird intensives Kartenstudium häufig vernachlässigt. Der Karte sollte man sich aber mit Hingabe widmen, gerade dann, wenn man nicht sattelfest ist – und wer ist das schon?

Um ein sicherer Orientierer zu werden, bedarf es großer Erfahrung und vieler Jahre. Oft haben nur wenige Kaderleute die Gelegenheit dazu und nicht selten wird diese nicht genützt. Meist wird nur kurz auf die Karte geschaut; einige Ortsnamen merkt man sich und damit hat sich's auch schon. Schon nach wenigen Kilometern im Wald und abseits von Wegen fängt dann das Kartenlesen und die Streiterei mit Besserwissern an. In der Nacht ist dieses Intervall noch kürzer. Deshalb muss die Karte intensiv und ausgiebig studiert werden – am besten ist es, sie auswendig zu lernen. Man kann auch einzelne Marschetappen auf die Spähtruppteilnehmer aufteilen: Jeder lernt seinen Abschnitt auswendig, prägt sich seinen Weg ein und das Angelände und auch die Entfernungen etwa bis zum nächsten zu querenden Bach oder Weg. Der häufigste Fehler ist ja, dass die Leute wohl wissen, dass ein Weg zu queren und dann eine Richtungsänderung vorzunehmen ist. Beim nächsten Weg passiert es dann viel zu früh, denn der richtige wäre noch einen Kilometer weiter. Aber die wenigsten messen die Entfernungen und häufig ist es dann so, dass sie ganz wo anders sind, als sie glauben.

*

Natürlich muss jeder lernen und Erfahrung sammeln, aber damit kommen wir wieder zum Problem Disziplin.

Besonders in der Nacht. Wird die Karte zu Rate gezogen, so werden anfangs brav zwei Stück Regenschutz über den Orientierer gelegt (einer reicht nicht, weil die Taschenlampe durchschimmert!) Ist alles gut gegangen, reißt bald Schlamperei ein und zuletzt wird auf den Regenschutz ganz verzichtet und schnell mit der kleinen Taschenlampe ungeschützt auf die Karte geleuchtet. Der Zufall will es, dass gerade dann der Feind da ist und den Spähtrupp erkennt. Gerade im Zwischengelände führen solche Bequemlichkeitsfehler oft zum Entdecken des Spähtrupps.

Deshalb lieber die Karte eine Stunde länger studieren! Vor allem die Entfernungen und auch das Schichtenprofil, damit man weiß, wann es bergauf und wann wieder bergab geht. Nicht nur die einzelnen Wege und Waldstücke, sondern genau so die Schichtenlinien beachten.

Wenn man das auswendig gelernte Kartenbild in Gedanken immer wieder mit dem Gelände vergleicht, dann sollte nicht viel daneben gehen und man wird das befohlene Aufklärungsziel in der geplanten Zeit auch gewinnen. Übrigens hat sich die Einteilung von Schrittzählern bei Dunkelheit noch immer bestens bewährt, aber bei manchen scheint das in Vergessenheit geraten zu sein.

Ich habe ganz bewusst all diese Negativbeispiele aufgezählt, weil sie in meiner relativ langen Zeit als Ausbilder ständig und in wiederkehrender Form aufgetreten sind – interessanterweise häufiger bei schon Ausgebildeten. Das liegt sicherlich daran, dass der noch Lernende alle Ratschläge begeistert aufnimmt, denn das Unbekannte muss ja erst selbst erlebt werden, und da ist es immer noch am besten, wenn man alle Vorschriften peinlich genau befolgt. Später, wenn die Routine kommt, dann reißen oft Schlampigkeitsfehler ein, die zum Misserfolg führen.

Es liegt an den einzelnen Kommandanten, vom Trupp hinauf bis zur Kompanie, diese kleinen Fehler sofort abzustellen und die Leute zur Disziplin anzuhalten.

*

Nach diesen eher kritischen Betrachtungen nun aber zu einigen Spähtrupperlebnissen, die mir im Laufe der Jahre widerfahren sind, und zwar durchaus im positiven Sinn. Zunächst zum Benützen von Wegen: Ein Spähtrupp sollte zumindest bei Tag grundsätzlich nicht auf Wegen gehen, sondern immer nur in Anlehnung an diese quer durch das Gelände.

Es war bei einer Übung im Raume Melk in Niederösterreich, als ich als Spähtruppkommandant den Auftrag erhielt, eine Bundesstraße zu überwachen. Wir waren zu viert und sollten mit einem Hubschrauber etwa fünf Kilometer querab zur vorgesehenen B-Stelle abgesetzt werden. Es hatte schon seit einigen Tagen Schneeregen gegeben, auf den Wiesen und Feldern sowie den Waldlichtungen lag ein feiner Schneefilm. Sicher hat schon jeder erlebt, wie fleckig weiß das im Wald ausschaut. Wegen des Schlechtwetters wurde der Hubschrauber durch einen Diesel 680 ersetzt. Gleich nach dem Absitzen gingen wir in Schützenreihe durch einen Wald vor, um dann erst bei Einbruch der Dunkelheit unsere B-Stelle zu gewinnen. Man hatte mir versichert, dass dieser Raum feindfrei wäre. Als Spähtrupp sollte man dennoch gesundes Misstrauen walten lassen und das erwies sich bald als richtig. Nach zwei Stunden Marsch querbeet und völlig durchnässt vom Durchqueren der Jungwälder und des Unterholzes war eine besonders dichte Fichtenschonung zu überwinden, in der wir noch mehr nass werden würden.

Durch diese Schonung hindurch verlief ein älterer, in der Karte nicht eingezeichneter Karrenweg und ich wollte der Verlockung nachgeben und ihn benützen. Aber ein sechster Sinn warnte mich und triefend schlichen wir durch den Jungwald. Kaum war ich 50 Meter drin, kam von rückwärts das Zeichen „Feind!“: Der letzte

Mann hatte, ehe er in den Jungwald eintauchte, zwei feindliche Schützen entlang des Karrenweges herauskommen sehen. Wir verharrten lautlos und pirschten nach einer Weile weiter. Und als wir am Ende der Schonung herauskamen, standen 100 Meter vor uns vier Gruppenzelte. Zugsstarker Feind also dort, wo feindfrei gemeldet war. Wir legten ein Beobachtungshalt ein und setzten unseren Marsch in der Dämmerung fort.

Wären wir den Weg entlanggegangen, wären wir trockener geblieben, aber mit Sicherheit auf die beiden feindlichen Schützen aufgelaufen. Auf dem nassen weichen Waldweg hätten wir sie nicht gehört und wären wir doch noch rechtzeitig ins Gehölz gesprungen, hätten uns die schwankenden Fichtenäste verraten.

So hatte ich die persönliche Bequemlichkeit unterdrückt und allein dadurch dem Feind ein Schnippchen geschlagen. Das baut einen auf, wenn man andere überlisten kann und es macht sich bezahlt, Grundsätze einzuhalten. Ähnlich ist es mir noch einige Male auf Spähtrupp ergangen.

*

Es ist immer wieder etwas Besonders und Schönes, einen Spähtrupp zu führen. Vielleicht deshalb, weil ich als leidenschaftlicher Jäger gerne in der freien Natur bin. Aber man hat als Spähtruppkommandant auch sehr viele Entscheidungsfreiheiten, wie die engere Wegwahl, Sammelpunkte, Beobachtungshalte, Lagerplätze usw. Man schleicht mit seinen Leuten durchs Gelände und erfüllt dabei wichtige Aufträge. Dabei war mir meine Naturverbundenheit oft eine große Hilfe. Kennt man das Verhalten einiger Tiere genau, dann lassen sich daraus wichtige Schlüsse ziehen. Besonders in unbekanntem Gelände, wenn man nicht weiß, wo der Feind lauert.

Da ist zum Beispiel die Ringeltaube – auch als Wildtaube bezeichnet. Sie ist zwischen Mitte März und Mitte September in unseren Breiten. Wenn man sie irgendwo gurren hört mit ihrem typischen „Huhuu hu huhu", das sie dreimal wiederholt, dann kann man absolut sicher sein, dass sich in ihrer Umgebung kein Feind versteckt hält. Ihr kann man sich nur voll gedeckt und schrittweise nähern und beim kleinsten Fehler streicht sie ab. Nicht umsonst besagt eine alte Jägerweisheit, sie habe auf jeder Feder ein Auge. Meine Rastplätze oder Lager habe ich in der Sommerzeit meist dort errichtet, wo ich sie hörte; ich konnte sicher sein, dass die Gegend feindfrei war.

Aber auch andere Tiere können Hinweise geben. Vertraut äsendes Wild an Waldrändern, auf Lichtungen und Waldwegen sind ein sicheres Zeichen dafür, dass kein Mensch in der Nähe ist. Umgekehrt ist flüchtendes Wild, das in Deine Richtung näher kommt, immer ein Gefahrenzeichen, ebenso das heisere Schrecken von Rehen, das meist von Störungen durch Menschen hervorgerufen wird.

Auf dem Rückweg von einem Spähtruppunternehmen – wir hatten einen Bahnhof aufzuklären gehabt und wählten zurück selbstverständlich eine andere Route – machten wir am Vormittag Rast. Wir waren seit dem Morgengrauen unterwegs und brauchten erst am Abend im Lager zurück sein. In einer Föhrendickung am halben Hang machten wir uns heißhungrig über das Frühstück her, nachdem eine

Sicherung eingeteilt worden war. Nach kaum zwei Minuten entdeckte ich etwa 70 Meter unterhalb unseres Rastplatzes einen Fuchs, der sehr flüchtig auf einem schmalen Steig dahintrollte und immer wieder zurückschaute. Was würde hier wohl kommen? Sicherheitshalber gab ich Alarm und wir setzten uns bergwärts ab, wobei wir ständig nach rückwärts sicherten. Von der Bergkuppe beobachteten wir dann flach auf dem Boden liegend, wie ein feindlicher Spähtrupp genau diesen Steig entlangmarschierte, den vorhin der Fuchs genommen hatte. Es dauerte nicht lange, dann kam der Fuchs etwas links von uns wieder am halben Hang zurück und damit zeigte er mir zum zweitenmal, aus welcher Richtung der Spähtrupp nun kam. Es war derselbe von vorhin. Später kehrte wieder Ruhe ein und wir konnten endlich unser Frühstück genießen.

Auch der Tannenhäher mit seinem weithin vernehmbaren Warnruf kann sehr oft helfen. Wenn er sein Spektakel abhält, dann ist sicherlich irgend etwas in Bewegung. Allerdings schreit er auch bei größerem ziehendem Wild, aber Vorsicht kann nicht schaden.

Überhaupt lässt sich viel aus dem Verhalten des Wildes lernen. Überlege einmal, wie du die Tiere meist entdeckt hast: Sicherlich haben sie sich bewegt. Stehen oder liegen sie, entdeckt man sie erst im letzten Moment – wenn überhaupt. Das ist eine natürliche Schutzfunktion.

Immer wieder kommt es vor, dass man plötzlich und auf sehr kurze Entfernung mit Menschen zusammentrifft. Meist sind es zwar nur harmlose Schwammerlsucher, manchmal ist es aber auch der Feind. Dann verhalte Dich wie das Wild: Lege Dich ruhig hin, blicke dem Menschen aber nicht in die Augen, das könnte ihn warnen. Man staunt immer wieder, wenn Menschen kaum zwei bis drei Meter entfernt an einem ungetarnt Liegenden vorbeigehen, ohne ihn zu sehen. Das ist keinesfalls übertrieben. Viele Menschen haben den Blick für die Natur längst verloren und man wundert sich immer wieder, wie blind sie durch den Wald rennen.

Natürlich ist das nur der letzte Ausweg, denn der Spähtrupp trachtet grundsätzlich, sich rechtzeitig abzusetzen – auch vor Zivilisten –, um ungesehen zu bleiben.

*

Beim plötzlichen Aufprallen auf Feind muss blitzartig gehandelt und unter Feuerschutz abgesetzt werden. Wer schneller schießt und besser trifft, bleibt dann Sieger im Kampf und Voraussetzung ist, dass jeder Mann stets mit „Gewehr vor der Brust" marschiert und so schnellstens reagieren kann. So zu marschieren, ist zwar anstrengend, aber das einzig Richtige.

Einige Worte zum Verhalten am Aufklärungsziel. Es wird zwar von Auftrag zu Auftrag verschieden sein, aber einige Grundregeln gelten dennoch: Führt man Objektaufklärung durch, beobachtet man beispielsweise ein Haus, eine Brücke, einen Gasthof oder Bahnhof, dann sollte man das zunächst bei Tag tun. Man beobachtet das Objekt aus einem halben bis zwei Kilometer Entfernung und von mehreren Seiten aus, erst dann darf man sich ihm nähern. Grundsätzlich sollte man sich bei Nacht ohne vorhergehende Tagbeobachtung nicht annähern, es sei denn, der Auftrag verlangt es oder der Zeitdruck ist zu groß. Allerdings muss Zeit immer ausreichend zur Verfügung stehen, andernfalls kann man ohnedies kein Aufklärungsergebnis liefern. Also zuerst Tagbeobachtung und bei dieser Gelegenheit auch die Annäherungswege für die Nacht festlegen. Erst dann darf man an das Objekt herangehen. Wem hilft es, wenn man in der Dunkelheit voll aufläuft, während man bei Tag feststellen hätte können, wo sich die Sicherungen befinden. Gerade bei der Objektaufklärung ist es wichtig, selbst nicht erkannt zu werden, weil sonst ja das Überraschungsmoment für den kommenden Angriff wegfällt.

Deshalb immer langsam und behutsam annähern. Zuerst aus größerer Entfernung beobachten. Nur soviele Leute wie unbedingt nötig mitnehmen und langsam Schritt für Schritt vorgehen. Immer mit Stehpausen in der Dauer einiger Minuten, dabei versuchen, zu hören, zu sehen und zu riechen. Einen Motor oder Panzer riecht man schon, noch ehe man ihn sieht (es sei denn, er fährt). Vergiss nicht, dass Du derjenige bist, der aufklärt, und das funktioniert nur, wenn man sehr vorsichtig und langsam vorgeht. Die Bewegung ist an sich schon ein Handicap, das man in Kauf zu nehmen gezwungen ist. Aber immer nur einige Schritte und dann wieder halten, hören, schauen und riechen. Ist der Spähtrupp stark genug, dann kann ein Teil an einer günstigen Stelle länger beobachten, während die anderen weitersuchen. Wichtig ist nur, dass jeder weiß, wohin er sich bei Alarmierung absetzen muss. Bestimme daher immer einen Sammelpunkt in sicherer Entfernung, der auch von jedem – besonders bei Dunkelheit – gefunden wird. Wichtig ist auch, dass die Aufklärung rund um die Uhr erfolgt, also durchgehend. Hier muss öfter gewechselt werden: Entweder je ein Team für die Tag- und die Nachtbeobachtung oder in irgendeiner stundenweisen Ablösung.

Man sollte auch nicht vergessen, nach Beendigung der Beobachtung bzw. vor dem Rückmarsch jedem einzelnen Spähtruppteilnehmer das Aufklärungsergebnis und die Details bekanntzugeben. Sollte der Spähtrupp zersprengt werden und unter Umständen nur einer zurückkommen, so muss die Bekanntgabe des Ergebnisses gewährleistet sein. Vorteilhaft ist auch die Anfertigung einfacher Skizzen des Aufklärungszieles, möglichst mit geschätzten oder abgeschrittenen Entfernungen. Das erleichtert es dem Kommandanten, bei einer Aktion gegen das Aufklärungsziel später seine Waffen optimal einzusetzen.

Das Entscheidende bei der Objektaufklärung ist aber, dass der Spähtrupp nicht erkannt wird. Es ist nicht immer leicht, zwischen Sicherheit und Risiko abzuwägen, wenn auch noch das eine oder andere Detail genau erspäht werden soll. Man muss sich dann nach dem Verhalten des Feindes richten: Ist er sehr vorsichtig, dann muss der Spähtrupp noch vorsichtiger sein; ist er sorglos, sichert er schlampig und unregelmäßig, dann kann der Spähtrupp auch frecher vorgehen. Immer aber unter Beachtung aller Vorsichtsmaßnahmen, denn es ist besser, nicht jede Kleinigkeit zu erkennen, aber selbst unerkannt zu bleiben, als wegen einer Nebensächlichkeit zu nahe heranzugehen und ertappt zu werden. Das gilt insbesondere dann, wenn gegen das Aufklärungsziel eine Aktion geplant ist.

Ich erinnere mich an ein Beispiel übertriebenen Ehrgeizes: Ein Spähtrupp kam ganz begeistert zurück und berichtete, das er mitten in einem feindlichen Stützpunkt gewesen wäre und unter den rückstoßfreien Panzerabwehrkanonen gelegen habe. Zum Beweis brachte er die abmontierte Optik einer Waffe mit, der Feind habe nichts vom Diebstahl gemerkt. Natürlich nicht sofort, aber am nächsten Morgen, nachdem die Optik verschwunden war! Es war zwar eine gute Leistung des Spähtrupps, so nahe ungesehen heranzukommen, aber das Mitnehmen von Gerät war grundfalsch – die Sicherungen werden verstärkt und das Überraschungsmoment für eine künftige Aktion ist dahin!

Etwas anderes ist es natürlich, wenn man kein Objekt, sondern einen Raum aufzuklären hat. Hier ist es gerade umgekehrt. Konzentriert man sich bei der Objektaufklärung auf das Objekt und sein Angelände, so ist die „Suchaufklärung", wie man sie nennen könnte, ungleich spannender. In jedem Graben und hinter jeder Kurve kann Feind vorhanden sein. Meist stößt man überraschend auf ihn; man sollte versuchen, Ruhe zu bewahren und dem Auftrag entsprechend genau beobachten. Man ist in Bewegung, kennt das Gelände nicht genau und ist mit der Umgebung nicht vertraut. Da kommt es oft vor, dass die Spähtrupps wegen dieser Unsicherheiten die Beobachtung zu früh abbrechen und ihnen Entscheidendes entgeht. Hinterher, bei der genauen Analyse der gemachten Beobachtungen, kommt man dann drauf, dass man manches nicht genau gesehen hat, weil man aus Angst vor Entdeckung zu früh weitermarschiert ist. Oft bleibt einem für sorgfältige Beobachtung des Feindverhaltens und der Feindstärke auch nicht viel Zeit. Darum muss man hier sehr konzentriert und rasch arbeiten, wenn man erfolgreich bleiben und dem Kommandanten ein zutreffendes Lagebild liefern will.

Ganz anders bei der Objektaufklärung, wo der Spähtrupp schon bei Tag und in der Regel über längere Zeit hinweg beobachten und sich alle Einzelheiten einprägen kann.

Eine vollständige Abhandlung über den Spähtrupp habe ich mit diesen Zeilen nicht zu geben vermocht. Aber vielleicht war der eine oder andere Gedanke brauchbar und hilft dem Aufklärer im Fußspähtrupp, seinen Auftrag auszuführen.

Neben dem Lesen ist das Üben mit hinreichend starker Feinddarstellung für die Spähtruppausbildung von entscheidender Bedeutung, denn nur Üben macht den Meister!

Wolfgang Janner

Beobachtungspraxis

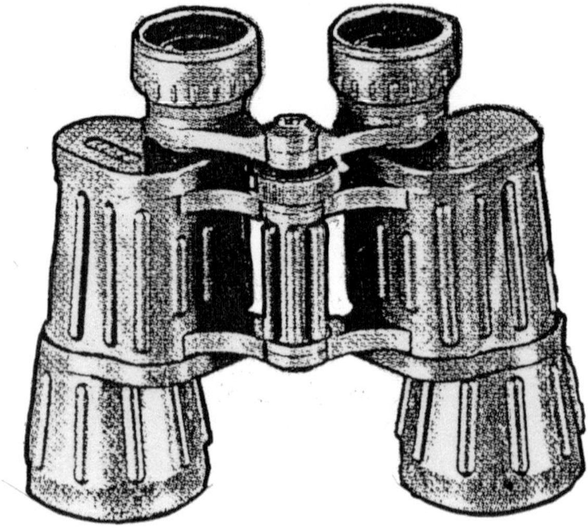

Ein Wort zuvor!

Richtig beobachten und nicht einfach nur herschauen! So oder ähnlich wird das Resümee lauten – und darüber wurde schon genügend doziert.

Wie so oft, sind „nachts alle Katzen grau“ und ein Nachtsichtgerät ist auch nicht immer die beste Lösung. Während der Ausbildung kann man viele Situationen durchbesprechen, aber in der Realität, im Graben, auf der Lauer, auf der Mauer zeigt sich die Praxis in ihrer Reinkultur. Dann stellt sich womöglich die Erkenntnis ein, dass sich die Sache doch nicht ganz so verhält, wie im Lehrbuch beschrieben!

Genau diesem Umstand möchten sich diese Zeilen annehmen. Aus Augenzeugenberichten werden die wichtigsten Situationen und Bedingungen herausgearbeitet und Empfehlungen für die Ausbildung abgeleitet.

Fall Nummer 1

Ausgangslage: Den Abschluss der Grundausbildung bildete eine Winterabschlussübung am Packsattel. Die Schneelage schwankte zwischen 20 und 30 cm, es herrschte eine trockene kalte Luft und immer wieder zogen Nebelschwaden durch die Landschaft.

Auftrag: Sicherung aus der zugewiesenen Stellung und 24-Stunden Beobachtung.

Situation: Meinem Buddy und mir war eine Stellung am Waldrand zugewiesen. Diese Stellung hatte den Vorteil, dass sich hier geländetechnisch eine Verengung ergab. Diese galt es abzusichern. Aufgrund des Geländes und der Schneelage war (damals) ein Durchstoßen mit Fahrzeugen an dieser Stelle nicht möglich. So blieb einzig die Möglichkeit zu Fuß oder auch mittels Luftlandung auf der Lichtung abgesetzt von dieser Bergseite aus auf den Sattel zu gelangen.

Die Lage war somit augenscheinlich sehr übersichtlich: Alleine am Waldrand (keine Störgeräusche eigener Teile, eine klare helle Fläche ohne Bewuchs im Blickfeld, die erst nach 150 Metern vom Wald abgegrenzt war. Wir konnten uns somit auf eine ruhige 24-Stunden-Beobachtung einrichten.

Wie in der Ausbildung gelernt zeichneten wir eine Geländeskizze in den Schnee. Nein, tatsächlich hatten wir das vor, verzichteten aber darauf, weil uns die Lage ja eindeutig erschien.

Es wurde dunkel. Nachtsichtgeräte waren natürlich nur in viel geringerer Zahl als heute vorhanden und uns stand keines zur Verfügung. Die Fläche vor uns veränderte die Farbe mit fortschreitender Tageszeit zu einem Grauton, es kam leichter Bodennebel auf. Gleichzeitig kam genau mit dem Untergang der Sonne unglaublich viel Leben am Berg auf. Überall hörten wir ein Rascheln, hörten Bewegungsgeräusche und sogar leise Musik drang zu uns. Was ich damals zu lernen im Begriff war: Dass sowohl Schnee als auch Nebel Geräusche unerwartet weit tragen können. Zusätzlich trug ein günstiger Bergwind dazu bei, dass vereinzelt Geräusche aus dem Tal zu uns drangen. In dieser Situation eine Entfernung zur Geräuschquelle zu schätzen, war nahezu unmöglich. Auch eine Erfahrung, die ich an dieser Stelle machte: So klar das Lagebild bei Tag ist, so unklar wird alles im Dunkeln. Hier machte ich meine erste Erfahrung mit optischen Täuschungen.

Wichtige Umstände die es zu beachten gilt:

Wird in der Nacht ein heller Punkt anvisiert, so scheint dieser augenblicklich aus dem Sichtfeld zu verschwinden. Sieht man allerdings ein klein wenig seitlich an dem Punkt vorbei, so ist dieser wieder wahrnehmbar. Der Grund dafür ist die unterschiedliche Aufteilung von Stäbchen und Zapfen auf der Netzhaut, die diese Täuschung hervorrufen. Wenn jemand diese Erfahrung selbst machen möchte, so braucht man im Dunkeln nur einen Stern zu fixieren – dieser verschwindet augenblicklich. Sieht man an diesem Stern seitlich vorbei, so erkennt man ihn wieder.

Wissenstand der Betroffenen:

- Gleichgültig wie klar die Lage auch scheinen mag, eine Skizze vom Beobachtungsraum sollte immer angefertigt werden. Entscheidend sind vor allem bei Lichtungen die Formen der Abgrenzungen, einzeln stehender Bewuchs und die Lage von Fahrwegen.
- Helle Punkte sind im Dunkeln nur schwer mit freiem Auge direkt wahrzunehmen. Dafür ist eine Mindest-Helligkeit (Lux) notwendig. Es ist daher auch auf das periphere Sehen zu achten und zu beobachten, ob es schwache Lichtquellen gibt. Sind diese anfangs nur indirekt und plötzlich direkt wahrnehmbar, so hat sich die Helligkeit verändert. Eine Erklärung dafür kann sein, dass sich eine Lichtquelle nähert.
- Es ist zu berücksichtigen, dass Nebel oder Schnee die akustische Wahrnehmung täuschen. Der Schall wird in derartigen Situationen viel weiter getragen.

Fall Nummer 2

Ausgangslage: Es ist ein sonniger warmer Herbsttag, der südlich von Klagenfurt zu einer gemütlichen Wanderung mit einem guten Freund einlädt – mehr oder weniger. Genauer gesagt war ich mit meinem Buddy hier irgendwo im sprichwörtlichen Nirgendwo unterwegs, verzweifelnd die Karte im Uhrzeigersinn drehend, um die ungefähre Position zu ermitteln. Wir hatten keine Ahnung wo unser Kommandant uns hier hat absitzen lassen.

Auftrag: Das unerkannte Gewinnen einer Anhöhe, selbstständiges Beziehen einer Beobachtungsstelle mit einem genau zugewiesenen Beobachtungsbereich. Dabei müssen alle Beobachtungen schriftlich dokumentiert werden. Es herrschte absolutes Funkverbot. Weiters wussten wir, dass die Gegenaufklärung – anders als wir – mit Nachtsichtgeräten ausgestattet war. Kurzum: Der Campingkocher oder mögliche Rauchpausen mussten entweder gut abgetarnt werden oder man musste gänzlich darauf verzichten.

Situation: Die erste Herausforderung bestand also darin, den eigenen Standort zu bestimmen, um in das Beobachtungsgebiet zu gelangen. Die Karawanken zu unserer linken Schulter waren nicht zu übersehen, ein kleiner Fluss zu unser Rechten und eine Reihe von Strommasten brachten uns schnell den entscheidenden Hinweis. Wir marschierten also drauf los. Wege galt es zu vermeiden und so mussten mehrere Höhenmeter in unwegsamem Gelände überwunden werden. Hier machten wir schon unseren ersten Fehler. Anstatt im Gelände, wo keine Gegenaufklärung zu erwarten war und wir vom Gegner nicht gesehen werden konnten, Distanz und Zeit zu gewinnen, waren wir an dieser Stelle übervorsichtig. Nach der ersten Stunde hatten wir gerade einmal ein Drittel des Weges hinter uns, wo zu diesem Zeitpunkt bereits mit unserem Eintreffen im Gebiet gerechnet wurde. So unter Zeitdruck und um nicht erst im Dunkeln auf der Anhöhe einzutreffen, erhöhten wir das Tempo und verwarfen alle guten Vorsätze.

Hier passierte gleich der zweite Fehler: Anstatt dass wir uns der Anhöhe langsam näherten, stiegen wir nahezu in Wanderer-Manier auf den Berg, um völlig überrascht am höchsten Punkt stehend auf die Ebene hinunterblicken zu können. Noch leichter konnte man es der gegnerischen Aufklärung gar nicht mehr machen. Von nun an erkundeten wir das Gebiet nach einer geeigneten Stellung nur noch kriechend. Vorbei war es nun mit dem schönen Ausblick, denn vom Boden aus sah alles anders aus.

Endlich fanden wir eine unseren Anforderungen entsprechende Mulde, die gedeckte Rückzugsmöglichkeiten bot und wo mit Planen eine mehrstündige, unentdeckte Beobachtung möglich war. Langsam wich die Anspannung und die Beobachtungsroutine setze ein. Eigentlich, denn es gab absolut nichts zu sehen. In das Tal führte nur ein Feldweg hinein, der bei einer Hütte endete. Von dort ging ein Wanderweg ab, den gegenüberliegenden Berg hinauf, um hinter einem Sattel zu verschwinden. Wir wussten, wir befanden uns hier auf einem Truppenübungsplatz, aber es gab so gar nichts Militärisches hier. Waren wir überhaupt an der richtigen Stelle? Waren wir auf der richtigen Anhöhe und nicht ein Tal zu früh oder eines zu weit gegangen? Hätten wir uns für die Orientierung mehr Zeit nehmen sollen? Waren diese Zweifel ein Notfall, um das Funkverbot aufzuheben? Was, wenn es nun dunkel wurde und wir waren hier völlig falsch?

Mit solchen Gedanken war ein konzentriertes Beobachten nicht möglich. Dabei stellte ich auch fest: Je einfacher das Gelände, umso anstrengender die Beobachtung. Es wurde dunkel und es passierte rein gar nichts. Um die 24-Stunden-Beobachtung aufrecht zu halten, vereinbarte ich mit meinem Buddy einen 2-Stunden-Rhythmus. Während einer sich ausruhte, übernahm der andere die Wache. Da dies der Abschluss einer mehrtätigen Übung war, machte sich der Schlafmangel in dieser Nacht besonders bemerkbar. Gegen Mitternacht wachte ich während meiner Ruhephase auf, nahm Block und Stift zur Hand und notierte einen empfangenen Funkspruch. Erst als ich anfing das Gespräch zusammenzufassen, fragte mein Buddy, was ich da vorhätte. Mit Verwunderung fragte ich zurück, ob er denn nicht auch den Funkspruch gehört hätte, der uns zu einer Verlegung auf einen anderen Posten anwies. Mein Buddy überzeugte mich, dass ich mir diesen Funkspruch im Halbschlaf eingebildet und es ihn nicht gegeben hatte. Wäre ich in dieser Nacht alleine auf dem Posten gewesen, hätte ich die Stellung verlassen und wäre ein paar Kilometer weitergegangen. Die eingebildeten Koordinaten hätten sogar mit unserem Kartenausschnitt übereingestimmt. Vermutlich prägte ich mir unbewusst das Koordinatennetz tagsüber beim Orientieren ein.

Zum Abschluss stellte sich heraus, dass wir genau an der richtigen Stelle lagen und die gesamte Nacht hindurch vom Gegenhang aus mit Nachtsichtgeräten beobachtet wurden. Unsere Stellung war die einzige, die nicht erkannt wurde, während die anderen Teams glaubten, es gäbe gar keine Gegenaufklärung und sich so auch zum Einsatz von Taschenlampe und Campingkocher hinreißen ließen.

Wichtige Umstände die es zu beachten gilt:

Entfällt die körperliche Anspannung, fangen Gedanken sehr gerne an zu kreisen. Als Ergebnis wird das eigene Handeln immer wieder hinterfragt und die Konzentration auf das Wesentliche schwindet oder wird erschwert. Hier gilt es zu beachten, dass auch Geduld und Aufmerksamkeit über längere Zeit trainiert werden muss. In einer so schnelllebigen Gesellschaft, wie der, in der wir heute leben, vermutlich noch mehr als früher.

Wissenstand der Betroffenen:

- Konzentration braucht Energie und kann nur über eine bestimmte Zeit auf einem hohen Niveau gehalten werden. Mit dieser Ressource ist mit Bedacht umzugehen.
- Man muss verhindern, dass Gedanken von Zweifeln gestört werden. Man muss klar immer auf das Ziel fokussiert bleiben, alles davor Abgeschlossene bleibt abgeschlossen.
- Dein Buddy hat einen anderen Rhythmus als du selbst. Sich gegenseitig ergänzen und bei Bedarf aufbauen und Hilfe annehmen ist essenziell.
- Je einfacher ein Gebiet zur Aufklärung erscheint und je verlassener es vermutet wird, umso sorgfältiger und achtsamer muss vorgegangen werden.

Fall Nummer 3

Ausgangslage: Mittlerweile Unteroffizier und somit irgendwie bereits ein alter Hase, nehme ich an einer Übung im Raum Kitzbühel teil. Es ist Winter, der Schnee liegt gute 30 Zentimeter hoch und es wurde eine sternenklare Nacht vorausgesagt.
Auftrag: Als Ausbilder einen Aufklärungstrupp, einem Schutzobjekt vorgesetzt, einzusetzen und den Trupp dabei praktisch auszubilden.
Situation: Berge haben viele Vorteile. Ein großer ist, dass für Nichtalpinisten die Beweglichkeit eingeschränkt ist. Wissend, dass der Gegner aus nichtalpinistischen Rekruten besteht, sind die möglichen Annäherungswege daher stark begrenzt. Somit musste der Beobachtungsposten nur erhöht sein, wo in Richtung des Schutzobjektes eine sichere Annäherung bei Tag und auch bei Nacht möglich war. Soweit die Planung und auch im Gelände war dank guter Vorbereitung und Kartenstudium die gewünschte Stellung schnell erreicht und nach kurzer Zeit fertig bezogen. Die Beobachtung konnte beginnen.

Vor uns lag eine große freie Fläche, die von zwei Wegen durchkreuzt wurde. Am Berghang unter uns war ein kleiner Gebirgsbach, gegenüber der freien Fläche ein dichter Wald. Zur Beobachtung waren wir mit je einem Feldstecher und einem Nachtsichtgerät ausgestattet. Wir stellten ein Wechselrad von je zwei Stunden auf.

Da die ersten Stunden eigentlich nichts passierte, überließ ich die ersten Wachen den beiden Rekruten. Schließlich wollte ich in der Nacht fit sein, wenn die Übungseinlagen gestartet wurden. So übernahm ich die erste Wache gegen 21 Uhr. Mit dem grünen Bildschirm des Nachtsichtgerätes vor Augen, suchte ich in Schlangenlinien – vielleicht schon zu routiniert – die Gegend ab. Es war nichts zu erkennen. So vergingen die erste und dann auch die zweite Stunde. Da ich wusste, dass jeden Moment mit feindlicher Aktivität zu rechnen war, verzichtete ich auf einen Beobachtungswechsel und hielt weiter die Stellung. Jeden Moment müsste doch etwas passieren. Und genau so kam es. An der Waldlichtung entlang bewegten sich vier Punkte auf eine Böschung zu und verweilten dort. Ich suchte das Gebiet immer wieder ab, aber ansonsten war niemand zu entdecken und diese vier Punkte verweilten scheinbar kniend etwa 450 Meter vor mir. Nach einer weiteren Stunde – es waren nun insgesamt vier Stunden Beobachtung – ließ ich mich nun doch ablösen, übergab das Nachtsichtgerät einem Rekruten und wies ihn darauf hin, dass er diese vier „Gegner" nicht aus den Augen verlieren solle und sofort Meldung erstatten musste, sollten sich diese in Richtung Schutzobjekt bewegen. So legte ich nun meine Pause ein.

In der Morgendämmerung wurde ich wieder zur Ablöse gerufen und war verwundert, dass sich in der gesamten Nacht rein gar nichts getan hatte. Auf die Frage, wohin die vier Gegner verschwunden waren, bekam ich keine Antwort. So sah ich sofort mit dem Nachtsichtgerät in diese Richtung und entdeckte noch immer diese schwarzen Punkte. Es wurde immer heller und der Berg erwachte wieder. Nun konnte ich die Stelle mit dem Feldstecher abzusuchen und fand genau an der Stelle vier Büsche vor. Wie konnte das aber sein? Ich hatte in der Nacht eindeutig eine Bewegung der vier Punkte ausmachen können, die dann an dieser Stelle angehalten hatten. Warum waren mir die Büsche am Tag davor nicht aufgefallen? Ich konnte es mir nur so erklären, dass ein Nachtsichtgerät am Rand des Sichtfeldes Verzerrungen hervorruft und nur das Bild in der Mitte eine klare Abbildung erzeugt. Ich wollte so wenig Bewegung wie möglich machen und hatte daher vieles aus dem Randbereich heraus beobachtet.

Diese Verzerrungen zusammen mit leichten Kopfbewegungen erzeugten eine scheinbare Bewegung, die zu dieser Täuschung führte. Auch konnte ich die Büsche tagsüber kaum erkennen, weil sie mit Schnee bedeckt waren. Mit dem Nachtsichtgerät hoben sie sich aber ab, sodass das gemerkte Bild des Tages auf einmal überhaupt nicht mit dem Beobachtungsbild durch das Nachtsichtgerät übereinstimmte. Was für ein Anfängerfehler, dachte ich mir!

Wichtige Umstände die es zu beachten gilt:

Meine eigene Erfahrung lehrte mich, dass kein noch so guter theoretischer Unterricht alle möglichen Probleme, anzusprechen vermag. Ständiges Üben und die Konfrontation mit verschiedensten Situationen können aber helfen, sich eine gewisse Routine in den Abläufen anzueignen und trotzdem Betriebsblindheiten bzw. Bequemlichkeiten vorzubeugen. Auch das gegenseitige Kontrollieren sollte positiv behaftet sein und nicht als schulmeisterlich negativ angesehen werden.

Denn beim Beobachten geht es darum, Auffälligkeiten zu bemerken. Dies muss selbst bei unterschiedlichen Dienstgraden in der Stellung auf Augenhöhe erfolgen.

Wissenstand der Betroffenen:

- Es wird gelehrt, immer in Schleifen oder Bahnen das Gelände abzusuchen, um keinen Bereich in der Kontrolle auszulassen.
- Weiter wird gelehrt, mit den Augen an markanten Stellen immer wieder zu verweilen. So passiert es leicht, dass markante Stellen viel zu lange beobachtet werden, während die Peripherie nur „überflogen" wird.

Wo sollte die Ausbildung ansetzen?

Für mich hat sich folgende Vorgehensweise als Drillablauf bewährt:

- Bildlich wird der Beobachtungsbereich in Quadrate eingeteilt. Ein Quadrat entspricht einer Blicksakkade (=1 Blicksprung). Somit ist das Blickverhältnis immer gleich, unabhängig vom Gelände.
- Die Beobachtung erfolgt immer von links oben nach rechts unten in Schlangenlinien, wobei jedes Quadrat für sich auf seine Besonderheiten abgesucht wird. Um sich die Anzahl von Büschen, Geländekanten oder ähnliches einzuprägen, wird eine Geschichte erfunden, die immer wieder in Gedanken erzählt und so das Gelände immer mit der Geschichte abgeglichen wird.
- Nach einem Story-Durchlauf werden die markanten Punkte kurz genau betrachtet und dann wieder mit der Geschichte angefangen.
- So kann die eigene Bequemlichkeit ausgetrickst werden und es erfolgt kein „Ermüden" während der Beobachtung.
- Sehr nützlich hat sich bei dieser Methode auch erwiesen, wenn im Nachhinein eine Geländeskizze oder eine Ortsangabe notwendig ist. Mit Hilfe der Geschichte kann diese leicht nachvollzogen und dargestellt werden
- Fertige immer eine Geländeskizze an, wenn du die Möglichkeit hast. So kannst du selbst bei Schlafentzug immer deine Wahrnehmung überprüfen
- Zu beachten gilt allerdings, dass in der Nacht dieses Bild abweicht. Hier können entweder Teile der Story ausgelassen oder bereits bei Tag die Geländegeschichte mit Hilfe des Nachtsichtgerätes erzählt werden.

Fall Nummer 4

Ausgangslage: Es war einer der schönen Herbsttage mitten im Salzkammergut. Das Gelände war hügelig und die nächsten Tage versprachen eine interessante Übung.

Auftrag: Als Feinddarsteller eine Nachtannäherung an ein Schutzobjekt, um in der Morgendämmerung den zuständigen Kommandanten zu identifizieren und bei Gelegenheit auszuschalten.

Situation: In klassischer Truppstärke waren mein Buddy und ich bereits in der Nacht aufgebrochen, um uns als Feinddarsteller so an ein Schutzobjekt heranzubewegen, dass dieses gleich bei Tagesanbruch von uns einsehbar und vielleicht sogar bekämpfbar war. Wir mussten aber darauf achten, dass diese Stellung so gewählt wird, dass wir nicht von Nahbereichsstreifen oder gegnerischer Aufklärung selbst enttarnt wurden. Die Orientierung erfolgte ausschließlich mit Karte. Die Basis für die Entfernung zum Zielobjekt war mit der Einsatzschussweite der Waffe begrenzt und so suchten wir in diesem Abstandsradius eine geeignete Geländemulde aus. Erst bei Einbruch der Morgendämmerung erkannten wir, ob unsere Stellungsauswahl im Dunkeln zur Auftragserfüllung geeignet war.

Das Zielobjekt lag leicht unterhalb von uns in etwa 400m Abstand. Durch einen leichten Bodennebel war uns eine eindeutige Sicht auf das Objekt und die dort stationierte Truppe nicht möglich. Nur schematisch erkannten wir Bewegungen. An die Erkennung möglicher Uniformteile oder Dienstgrade war überhaupt nicht zu denken, denn dafür war die Entfernung mit unserem 7-fachen Feldstecher zu weit und durch den Bodennebel zu kontrastarm. Wir bereuten es innerlich, dass wir uns zwar für die sichere Entfernung, aber gegen eine klare Zielidentifikation entschieden hatten.

In dieser Situation blieb uns nur eines übrig: Wir mussten die schematischen Bewegungen vor Ort beobachten und diese anschließend den jeweils möglichen Dienstfunktionen zuteilen.

Erkennbar war, dass Personen in Truppstärke von Stellung zu Stellung mit einer kurzen Verweildauer an denselben Stellen am Schutzobjekt herumgingen. Dies war offensichtlich eine Fußstreife. Genau an diesen Haltepunkten sahen wir bei genauer Beobachtung auch Personen verdeckt stehen, die demnach stationäre Wachposten waren. Auf Grund von diesem Verhalten konnten wir die wichtigen Punkte des Objektes ausmachen und auch die Zugangswege in, aber auch aus dem Schutzobjekt heraus zuweisen. Dabei tauchten auch vereinzelt oder in Gruppen Soldaten auf, die anscheinend planlos herumgingen bzw. herumstanden. Dabei dachte ich mir nur: Raucher sind so leicht an ihrem Verhalten zu erkennen. Die Anzahl jener Personen, die gleichzeitig rauchen gingen, sprach dabei eindeutig für Chargen-Funktionen. Eine Person jedoch fiel so gegen 07:45 aus diesem typischen Schema heraus.

Mit aufrechtem Gang, erhobenen Hauptes ging jemand von Wachstellung zu Wachstellung, um dort kurz zu verweilen. Genau in diesem Moment war kurz auch die Wache klar erkennbar, denn sie trat aus der Deckung hervor, um dann wieder darin zu verschwinden. Für uns war dieses Verhalten so klar, dass wir uns für eine Schussabgabe entschieden und die dortigen Übungsschiedsrichter über die erfolgreiche Bekämpfung informierten.

Der Kommandant hatte an diesem Tag auf sein Barett und seine Dienstgrade an der Uniform verzichtet, da er über feindliche Aufklärung Bescheid wusste. Er bedachte aber nicht, dass wir ihn nur durch sein Verhalten in der Truppe eindeutig identifizieren konnten.

Alois Balog

Spähtruppzeiten

Aus der B-Stelle ins Lager des Feindes!

Der Auftrag war leicht und für den Spähtrupp keine besondere Herausforderung: Wir sollten im Raum Möderbrugg die Umgebung des Ghf. Timmerer im Auge behalten, damit mit unseren Erkundungen Charly's Angriff in diesem Sektor bestmöglich vorbereitet werden konnte. Unsere Gegenspieler brachten Panzer in Stellung, die sie im Laufe des Tages mehrmals verschoben, ihre Vernebelungsanlagen ausprobierten und die Panzer ab und an Richtung Norden in Wechselstellung brachten. Das war für uns weder spannend noch befriedigend. Die B-Stelle selbst stand nördlich vom Feind rund 1300 Meter entfernt und um die 120 Meter überhöht. Unsere Hauptbeobachtungsrichtung war somit Süden. Die Fläche vor uns bot dem Feind kaum Möglichkeit, irgendwelche verdeckten Handlungen vorzunehmen. Als der Abend hereinbrach und wir einfach nichts Neues mehr melden konnten, war die Spannung auf Null. Wir gingen daher daran, den Feind aus der Nähe zu inspizieren und holten uns dafür den entsprechenden Auftrag vom 50-iger.

Die Zeit der Dämmerung und der anbrechenden Nacht verbrachten wir noch mit Beobachten. Bevor es dunkel wurde, hatten sich die vier im Beobachtungsbereich befindlichen Panzer auf Höhe des Ghf Timmerer westlich der Durchzugsstraße Trieben/Judenburg in Reih und Glied aufgestellt. Für die Panzerbesatzungen dürfte der Krieg mit Einbruch der Nacht gelaufen sein. Es machte uns ein bisschen nervös, weil wir keine Sicherungsposten ausmachen konnten. Der Plan war ja, die Posten auszukundschaften und wenn möglich als erster Spähtrupp das Losungswort des Feindes durchgeben zu können. Dafür braucht es aber Posten und natürlich Passanten, die diese Posten frequentieren. Wie gesagt, für uns unvorstellbar, aber von oben konnten wir beim besten Willen keine entsprechenden Sperren ausmachen. Als es unten ruhig war und in der Nacht auch der Straßenverkehr zum Erliegen kam, sind wir losgezogen. Anfangs zu viert dem südlich verlaufenden Waldweg entlang und seitlich am Ghf. Timmerer vorbei, um einen anderen Blickwinkel auf unseren Aufklärungsraum zu bekommen. Rundum war alles ruhig, keine militärischen Bewegungen, zivile auch nicht, sogar der Wirt war schon im Bett. Als wir südostwärts oberhalb des Ghf. ankamen, war unsere Hoffnung, auf der Rückseite des Gebäudes Sicherungsposten zu finden, endgültig dahin. Wir haben uns Zeit gelassen, lange beobachtet um keine Kleinigkeit zu übersehen – aber da war nichts, einfach gar nichts. Leicht frustriert nach der Erkenntnis, dass wir in dieser Nacht wohl keine Neuigkeiten bringen konnten, stand die Frage im Raum: Umkehren oder mit etwas Risiko mitten rein in den Feind? Bei der fehlenden Sicherung blieb sowieso nur der Weg in die unmittelbare Nähe der aufgereihten Panzer. Die Entscheidung brachte mit sich, dass wir uns aufteilten: Zwei von uns blieben zur weiteren Beobachtung und zu unserer Sicherheit auf Höhe Ghf Timmerer. Von dort war die Möglichkeit gegeben, uns beim Vorgehen zu sichern. Wir sprachen uns mit der B-Stelle ab, es konnte ja sein, dass wir nicht gemeinsam und von verschiedenen Seiten in die B-Stelle zurückkehren mussten. Das war vorweg nicht so geplant, konnte aber einfach

Unser hier beschriebener Spähtrupp 31/AufklZg 8 auf der Hindernisbahn während der Vorstaffelung.

notwendig werden.

Nachdem wir uns geteilt hatten, gingen wir zu zweit im Schatten des Waldes am Waldrand entlang Richtung Süden. Im Umfeld des Ghf. war zu viel Licht, dort konnten wir die Straße nicht überqueren. Rund 900 Meter südlich reichte der Wald bis an die Straße und wir konnten zudem in dem dort befindlichen schmalen Waldstreifen den Pölsbach überqueren. Auf der westlichen Straßenseite sind wir rasch Richtung Norden vorangekommen. Es war klar, dass keine Posten zu erwarten waren. Bei den Panzern angekommen, die waren Richtung Süden ausgerichtet und zueinander mit gleichen Seitenabständen auf offener, ebener Wiese abgestellt, suchten wir Deckung. Vorerst verharrten wir im Dunkel der Nacht. Es geschah absolut nichts, wir blieben unentdeckt. Nach ausreichender Beobachtung umkreisten wir die Panzer über Westen, bis wir hinter ihnen im Norden waren. Nachdem im

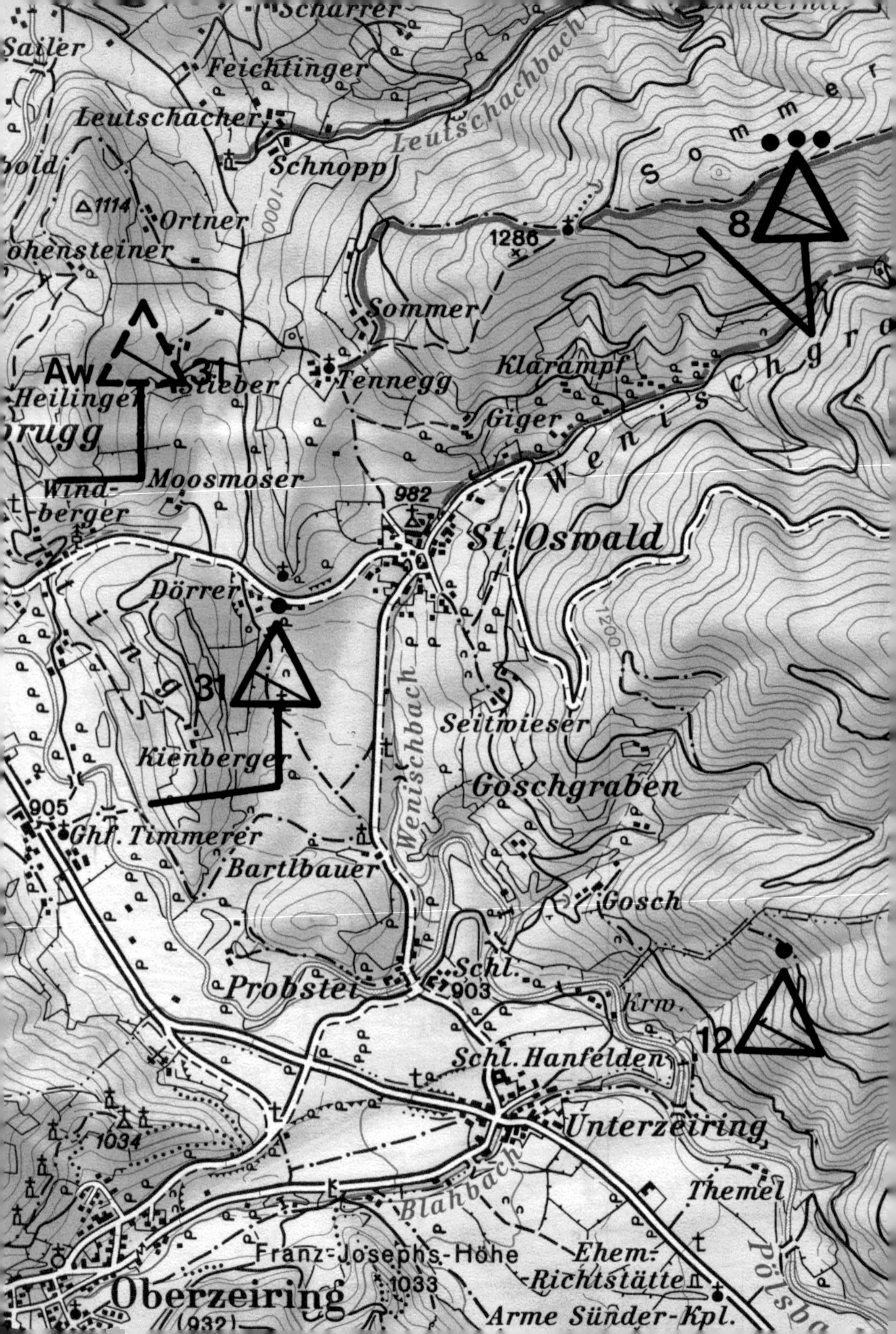
Scharrer
Sailer
Feichtinger
Leutschacher
Leutschachbach
Schnopp
Sommer
8
1114
Ortner
1000
1286
Hohensteiner
Sommer
Klarampf
Aw
31
Stieber
Heilinger
Tennegg
Giger
Wenischgraben
Moosmoser
Windberger
982
St. Oswald
Dörrer
1200
31
Seitwieser
Wenischbach
Kienberger
Goschgraben
905
Ghf. Timmerer
Bartlbauer
Gosch
Schl.
903
Probstei
Krw.
12
Schl. Hanfelden
Unterzeiring
1034
Blahbach
Themel
Pölsbach
Franz-Josephs-Höhe
Ehem. Richtstätte
1033
Oberzeiring
(932)
Arme Sünder-Kpl.

ganzen Umfeld nichts geschah und keinerlei Anzeichen einer Wache erkennbar waren, sind wir von „hinten" an die Panzer heran und konnten die Besatzungen schnarchen hören. Irgendwie ließ damit dort die gebührende Vorsicht nach, wir wussten, dass uns unsere Kameraden auf der anderen Seite vom Timmerer sehen konnten und zur Not auch warnen. Der sicherste Platz vor dem Feind war mitten im Feind. Wir erlaubten uns die Frechheit und aßen zwischen den Panzern ein wenig vom Proviant, tranken ein paar Schluck Wasser und machten uns dann Richtung Norden auf den Rückweg. Außer Hörweite funkten wir unsere Kameraden an, teilten mit, dass wir direkt und nicht mehr über Süden zurück wollten und vereinbarten einen Treffpunkt, um gemeinsam zur B-Stelle zurückzukehren. Ein Stück nördlich gab es eine Brücke, die wir benutzten – der Bach war zwar kein Hindernis, aber der Feind war halt auch keines. Weiter oben dann, wieder am Waldweg, trafen wir mit unseren Kameraden zusammen.

Einige Zeit haben wir nach rückwärts gesichert, um eventuelle Verfolger auflaufen zu lassen, aber auch das war umsonst. Mehr als eine gute Anschleichübung kam in dieser Nacht nicht heraus. Obwohl: Die Gewissheit, einen unfähigen Gegner zu haben, ist auch eine bereichernde Erkenntnis. Der restliche Rückweg und das Reinkommen in unsere Stellung waren Routine und nicht weiter erzählenswert. Wir haben uns mehr erwartet, dementsprechend langweilig fiel auch der Bericht an unseren 50-er (nach dem Funkdecknamen des Zugskommandanten) aus.

Überprüfung der Kaserne

„Die Kaserne" – ich nenne sie einfach so, weil damals in den 90-igern nicht alles so rund gelaufen ist und Rückschlüsse auf die heutigen Leistungen der Leute dort weder erwünscht noch gerechtfertigt sind. Die machen, habe ich mir sagen lassen, mittlerweile einen hervorragenden Job. Darum nur „die Kaserne".

Unser 50-iger war damals zuständig für die Überprüfung, eine Art Leistungstest, der Kaserne. Wir, die 3. Gruppe des Aufklärungsuzuges 8, haben uns im Rahmen einer fWÜ daran beteiligt. Diese „Kurz-fWÜs" waren damals recht beliebt bei uns, wir haben Kraft und Ausdauer ohne Ende gehabt und die Leistung hat uns Freude bereitet. Gefechtsdienstleistungsabzeichen, Militärischer Fünfkampf, Gebirgsüberquerung im Rahmen der freiwilligen Milizarbeit, Besuch von Schießveranstaltungen, Leistungsmärsche bis hin zur Teilnahme an einem internationalen Vergleichskampf war uns alles lustig und als Auftrag willkommen. So auch die Teilnahme an der Überprüfung „der Kaserne".

Im Rahmen unseres Auftrages sollten wir die Absicherung der Kaserne überwinden, in die Kaserne eindringen, dabei möglichst unentdeckt bleiben und wenn möglich Störaktionen durchführen, um die geplante Verlegung in einen Verfügungsraum zu behindern. Nicht unbedingt im Berufsbild des Aufklärers, aber eine gediegene Ausbildung als Aufklärer hilft bei solchen Aktionen ganz ungemein.

Die Kaserne liegt nordöstlich knapp vor einem stak bewaldeten Berg, dazwischen noch einesüdlich verlaufende Durchzugsstraße und Bahnlinie. Im Norden öffnet sich das Gelände und wird von einer Ortschaft abgeschirmt. Im Osten bis in den Süden liegt wieder ein bewaldeter Berg, der so wie der erste rund 300 Meter über das Kasernenniveau hinausragt. Hier begrenzt sich das Kasernengelände mit einem Bach, nicht tief, aber so um die 5 Meter breit. Der Fuß des Berges verläuft ungefähr 500 Meter im Osten und zieht sich Richtung Süden, wo er dann nur durch die vorgenannte Straße, den Bach und die Bahnlinie getrennt parallel zum südwestlich der Kaserne gelegenen Berg verläuft. Bevor Bach, Straße und Bahnlinie zusammentreffen, liegt südöstlich der Kaserne noch ein kleines Waldstück. Alles in allem keine grandiosen Voraussetzungen, um ungesehen hinein und wieder heraus zu kommen.

Erster Ansatz

Es war herbstlich, weder warm noch kalt, wir kannten weder die Kaserne noch die Umgebung und da es noch Tag war, blieben wir im südöstlich der Kaserne liegenden Wald auf der der Kaserne abgelegenen Seite. Wir waren spät dran und es blieb uns nur mehr wenig vom Tageslicht für unser Kartenstudium. Den Plan des ersten Ansatzes (ohne noch zu wissen, dass es dann auch noch einen zweiten geben würde) mussten wir ohne Sicht auf unser Ziel machen. Wir haben zu diesem Zeitpunkt noch keine Ahnung gehabt, wie weit Sicherungen und Beobachtungsposten hinaus ins Gelände vorgeschoben worden sind und welche Beobachtungsmöglichkeiten von innen heraus möglich waren. Damit war unsere Annäherung mit einigen Fragezeichen versehen. Wir sind daher schon in der Dämmerung los, um quer durch den Wald und weit oberhalb der Wege auf die Seite der Kaserne zu kommen. Es blieb uns nicht erspart, Wege zu queren, Hör- und Beobachtungshalte einzulegen und dabei drei Waldarbeitern, einem Jogger und zwei Leuten beim Spaziergang auszuweichen. Alles verlorene Zeiten, die uns letztendlich zum schnelleren Vorgehen drängte. Auf der anderen Seite, mit Sicht auf die Kaserne, erkannten wir, dass nur der direkte Weg nach unten auf die Höhe der Kaserne und hin zum südostwärtigen Waldstück ein Eindringen ermöglichen würde. Ein wenig verunsichert, weil keine Außenposten auszumachen waren, sind wir rasch, aber mit höchster Vorsicht zum Waldspitz vorgerückt. Der kleine Waldspitz als wirklich gute Deckung stand für uns einladen in der Landschaft. Wir konnten es nicht fassen, aber auch der Waldspitz war ungesichert und wir konnten bis zur Einzäunung der Kaserne ohne jede Gegenwehr vordringen. Innerhalb des Zaunes war in Richtung der Kasernengebäude als erste bebaute Fläche eine Tankstelle. Schwach beleuchtet, trotzdem weithin gut sichtbar, kam uns diese als lohnendes Ziel für eine brauchbare Störaktion vor.

Der Plan war einfach: Abwarten, bis die Posten vorbei sind, und dann zu zweit über den Zaun rein in das Kasernengelände. Die vier anderen sollten außerhalb sichern und eventuell unseren Rückzug decken, wenn etwas daneben ging. Wir haben Draht, Schnur und Blitzknaller für unsere Störaktion eingepackt und sind dann über einen Baum, dessen Äste bis auf die andere Seite des Zaunes reichten, in die Kaserne eingedrungen. Die ersten dreißig oder vierzig Meter nach dem Zaun lagen völlig im Dunkel der Nacht, Licht gab es erst nach guten hundert Metern bei der Tankstelle. Vorerst sicherten wir unseren Rückzugsweg mit Stolperdraht und Sprengfallen seitlich, rechts und links ab. Uns war klar, sobald es vorne an der Tankstelle kracht, würden die Wachen wissen, von wo aus wir Eindringlinge gekommen sind, viele gute Möglichkeiten gab es ja nicht. Noch innerhalb der Dunkelzone, in direkter Linie zur Tankstelle, brachten wir zusätzlich Sprengfallen und Stolperdraht an. Diese Rückzugsicherung war zwar auch für uns eine Hürde, aber wir prägten uns den Abstand zum Zaun und zur Schattengrenze gut ein, um nicht in die eigenen Fallen zu laufen.

Das weitere Vorgehen brachte schon Spannung mit sich – auffällig ist, wer sich auffällig benimmt. Als wir aus dem Schatten getreten waren, gingen wir normalen Schrittes direkt auf die Tankstelle zu, ganz so als würden wir dazugehören. Die Tankstelle war doch etwas abseits von den Kasernengebäuden und so kamen wir mit keinen Personen in Kontakt. Es war fast schon zu einfach, wir sind ungesehen an die Kaserne heran gekommen, eingedrungen, haben Sprengfallen aufgebaut und konnten unbehelligt bis zu einem der Herzstücke des modernen Transportwesens vordringen. Mit Klebeband befestigten wir unsere Blitzknaller, verbanden die Abziehleinen mit starker Angelschnur (normale Schnur wäre auch im Halbdunkel gut sichtbar gewesen, mit der Angelschnur blieb unsere Verbindungsleine unsichtbar). Damit war der Erfolg sichergestellt.

Wir wollten den nächsten Postengang abwarten, um auf dem gleichen Weg wieder aus dem Kasernengelände hinauszukommen. Zu dem Zweck haben wir uns auf die Rückseite in den Schatten der Tankstelle begeben, um den kommenden Rundgang abzuwarten. Beim Aufklären der Posten sind diese rund 30 Meter innerhalb der Umzäunung gegangen und wir nahmen an, dass das bei allen Runden so laufen würde. Als wir die beiden aber aus der Abdeckung durch die Kasernengebäude treten sahen, gingen sie knapp am Zaun entlang und machten keine Anstalt, den Rundgang weiter innerhalb fortzusetzen. Damit würden die beiden in unsere Sprengfallen laufen und an dem Ort, an dem wir wieder raus wollten, zu viel Aufmerksamkeit auf uns konzentrieren. Wir mussten improvisieren. Alles was wir tun konnten, war eine der Stellungen innerhalb der Kaserene, die weit weg von unserem Ausgang lag, zu stören, um die Aufmerksamkeit dorthin zu lenken.

Wir mussten dazu zwangsläufig weiter hinein. Vorne links im Bereich der Kasernengebäude haben wir seitlich eine besetzte Stellung ausgemacht, auf die sind wir zugegangen. Wenig auffällig, aber doch so, dass wir von der etwas erhöhten Stellung gesehen wurden. Als sie zu uns hersahen, sind wir weggelaufen, vorerst in die für uns falsche Richtung. Der Erfolg blieb nicht aus, die Stellung hat alarmiert und es war recht schnell viel los in dem Bereich. Wir sind so schnell und unauffällig wie möglich auf die rechte Seite, haben dort die nächste Stellung ausgemacht, bevor die uns gesehen haben, und sind dann nach hinten zu unserm Ausgang. Die Strecke war frei, keiner hat uns gesehen, die Zaunposten sind, wie wir gehofft haben, ebenfalls nach vorne, um die vermeintlichen Eindringliche im Bereich der Gebäude zu stellen. Leider blieb uns keine Zeit, unsere Rückzugsicherungen abzubauen, wir mussten raus. Die Suchmannschaften waren vorne nicht fündig geworden und kamen über beide Seiten nach hinten. Draußen haben wir mit unseren Kameraden das Weite gesucht, es wäre logisch gewesen, wenn auch außerhalb Gegendruck entstanden wäre. Noch im Waldstück hörten wir die ersten Blitzknaller losgehen – es war knapp, aber wir sind entkommen. Leider haben wir nur die ersten Posten erwischt, die nachkommenden sind vorsichtiger vorgegangen und haben unsere restlichen Sprengfallen erkannt und demontiert. Leider auch die bei der Tankstelle. Das war besonders lästig. Wir mussten also noch einmal woanders hinein.

Zweiter Ansatz

Über die südöstlich verlaufende Straße wollten wir nicht, das wäre zu viel Risiko mit zu wenig Nutzen gewesen. So blieb nur das Überqueren des Baches und ein ausgreifendes Umfassen, um auf die nordwestliche Seite der Kaserne zu kommen. Die vordere Stellung, nördlich ausgerichtet, haben wir bei unserer Flucht aus der Kaserne ausgemacht und wollten daher irgendwo zwischendrin, zwischen dem ersten Punkt unseres Eindringens und eben dieser Stellung, noch einmal hinein. Wir gingen am Fuße des nordostwärtigen Waldhanges entlang, bis wir entsprechend weit von der Kaserne entfernt waren und sicher sein konnten, von innen nicht mehr gesehen zu werden. Dann haben wir uns parallel zur Kaserne nach Westen verschoben, um von weit draußen so verdeckt wie möglich wieder an den Zaun der Kaserne zu kommen. Bis hin zum Bach gab es kein Problem, unser Spähtrupp ist ungesehen ans Ufer gelangt und wir sind durch den Bach knapp vor dem Zaun. Dort verlief zwischen Zaun und Bach eine dichte durchgehende Gebüschreihe, die wir als Versteck und zum Beobachten ausnutzten. Die Postengänge außerhalb der Gebäude waren nunmehr von einfachen Rundgängen auf sich ständig auf und ab gehende Posten gewechselt worden. Die waren unangenehm instruiert und haben nach außen geleuchtet und gerufen: „Wir sehen euch, kommt raus!" Im ersten Moment dachten wir, die sehen uns wirklich, aber das Leuchten und das Geschrei war 15 Meter vor uns und so verhielten wir uns ruhig und abwartend. Wir haben vermutet, dass uns die Posten vielleicht gehört haben und nicht eruieren konnten, wo wir wirklich lagen, aber das war falsch. Die waren plötzlich wieder ruhig, gingen weiter an uns vorbei und haben weit hinter uns wieder mit demselben Geschrei angefangen. Das sollte wahrscheinlich abschrecken und uns von weiteren Angriffen abhalten.

Anfangs hat das auch funktioniert: An dieser Stelle kamen die zu oft vorbei, dort haben wir keine Chance gesehen, um hinein und wieder herraus zu kommen. Einfach hinein wäre vielleicht noch gut gegangen und wo anders wieder raus vielleicht auch, aber uns fehlten die Ortskenntnisse und auf gut Glück oder mit der sprichwörtlichen Brechstange wollten wir keinen neuen Ansatz wagen. Also

Spähtrupp 31 bei der RVÜ 86 im Raum Möderbrugg/Unterzeiring.

wieder weg von der Kaserne, weiter Richtung Nordwest. Damit kamen wir aber in den Randbereich der Ortschaft und mussten jetzt auch noch aufpassen, dass uns nicht Zivilisten in die Quere kamen oder wir von der Kaserne aus aus gesehen wurden. Der Weg durch den Bach war dort wegen der Lichtverhältnisse unmöglich, die Straße bot eine Brücke, die wir natürlich auch nicht nehmen konnten. Was sich jedoch anbot war eine Eisenbahnbrücke, die unbeleuchtet im Dunkeln für uns die einzige Möglichkeit schien, um ungesehen auf die andere Bachseite zu kommen. Wir haben also beschlossen, die Brücke einzeln zu überqueren. Die Eisenbahnbrücke, eine Fachwerkkonstruktion, war nicht für Fußgänger ausgelegt. Seitlich vom Gleis waren Bohlen über die Fachwerkkonstruktion gelegt und darüber wollten wir gehen. Ich ging vor, die anderen sicherten. Bis kurz vor die Mitte gab es kein Problem. Ich habe mich nach vorne und die Seite konzentriert, auf der die Kaserne lag, immer in Sorge, es wären Außensicherer vorhanden. Dabei habe ich übersehen, dass die Bohlen nicht auf der ganzen Strecke ausgelegt waren, und trat mit einem Schritt plötzlich ins Leere. Ein kurzer Sturz, so schnell, dass ich nicht reagieren konnte. Mehr zufällig als gewollt fiel ich dabei so weit nach vorne, dass ich mit dem Bauch in einem der Fachwerkkreuze hängen blieb und mich wieder nach oben ziehen konnte. Linkes Bein aufgeschunden, Handgelenk verstaucht und Ellenbogen angeschlagen, soweit die Verletzungsausbeute. Außerdem ein Ohren betäubender Krawall. Aber wie auch schon vorher bemerkt, außerhalb der Kaserne gab es keine Außenposten und niemand hat den Krawall mitbekommen. Wir sind trotz des Missgeschicks über die Brücke auf die andere Seite gelangt und konnten den Außenzaun im nordwestlichen Bereich der Kaserne gewinnen.

Erkunden stand nicht am Plan, Stören war der Auftrag. Wir haben keine Zeit mehr gehabt, die Lage zu peilen, daher wollten wir nur schnell hineinkommen, um die erstbeste Möglichkeit zu nutzen, die bevorstehend Verlegung zu stören. In derselben Nacht sollten wir auch noch den 90 km entfernten Ausweichgefechtstand angreifen. Die Zeit drängte also. Um keinen Schaden anzurichten, haben wir den Maschendrahtzaun von unten her aufgeflochten, um einen Durchgang zu schaffen. Vor uns war eine übermannshohe Böschung, dahinter eine Grünfläche mit anschließenden Gebäuden. Wir sind also durch den Zaun hinein. Zwei haben den Durchgang gesichert und zu viert sind wir vorgegangen, um irgendein lohnendes Ziel zu finden. Weiter vorne bei den Gebäuden war einiges los: Verladearbeiten, Sicherungsposten und geschäftiges Treiben, für uns viel zu viele Leute, um wirklich erfolgreich sein zu können. Wir sind also seitlich ausgewichen, um einen Blick auf die andere Seite zu werfen. Im Vorpirschen konnten wir eine Zweimannstellung ausmachen. Die beiden Posten sollten nach außen beobachten und sichern, sind aber nicht recht diensteifrig gewesen und kauerten recht bequem in ihrer Mulde. Wir haben uns gegenseitig gleichzeitig erkannt. Die beiden griffen nach ihren Waffen, die zwar abgelegt, aber doch knapp neben ihnen lagen. Wir stürmten los und hechteten in die Mulde, das Glück war auf unserer Seite, die beiden waren überrumpelt, bevor sie schießen oder alarmieren konnten. Einer war recht aufmüpfig und musste härter angegriffen werden, sein Widerstand erlosch schließlich. Der andere war ein rechter Hasenfuß, total verschreckt hat er sich hingesetzt, die Hände im Nacken verschränkt und versprochen, keine Mätzchen zu machen. Wir haben den Hasenfuß noch ein wenig eingeschüchtert und den Aufmüpfigen mitgenommen. Seinen Helm und seine Waffe warfen wir die Böschung hinunter. Im Nachhinein erfuhren wir, dass eine Stunde nach unserem Überfall der OvT bei seinem Rundgang zufällig den Helm gefunden hat und dass dadurch erst das Fehlen eines Postens aufgefallen ist. Der zurückgebliebene Posten hat sich bis dahin in seiner Mulde versteckt und keinen Mucks gemacht.

Es war keine große Sache, aber wir haben einen Gefangenen gemacht und mitgenommen und mit einer Stunde Verspätung ordentlich für Aufregung gesorgt. Um die Kaserne herum war nichts mehr zu holen. Wir mussten weg, um die nächste Aktion vorzubereiten.

Störaktion am Gefechtsstand

Die Verlegung war im Gange, der ganze Tross sollte im Morgengrauen am Hochkönig ankommen. Ein Vorkommando der Kaserne war bereits da und hat sich schon eingerichtet gehabt. Wir konnten uns erst um 0130 Uhr im Verlegungsraum ein Bild von der Lage machen. Das uns zur Verfügung stehende Zeitfenster war höchstens vier Stunden offen, dann mussten wir wieder weg. Irgendein Heim im Wald, tief genug drinnen, um keinen Blickkontakt zu bekommen und lediglich mit einer einzigen, von Süden nach Norden verlaufenden Zufahrtstraße versehen, war unser Ziel und ihres. Die rund vierhundert Meter durch den Wald, bergauf und kurvenreich verlaufende Straße war für uns sowieso keine Option. Das Heim lag auf einer bewaldeten Anhöhe mit dem Rücken zum Hochkönig. Östlich davon ein weithin überschaubares, vom Heim abfallendes Waldstück. Westlich davon ein steiler tiefer Graben, der sich vom Heim oben nur schlecht einsehen ließ.

Wir konnten von weitem die Sicherung auf der Zufahrtstraße ausmachen, die haben nicht mit Aufklärung gerechnet und sind beim Betreiben recht direkt vorgegangen. Es war wahrscheinlich, dass auch Richtung Osten Vorkehrungen getroffen wurden. Die Seite zum steil aufragenden Hochkönig war wahrscheinlich nicht beachtet und der westliche Graben würde bestenfalls von Posten gestreift werden. Es war also unsere einzige gute Möglichkeit, von hinten über den Graben an das Gebäude heranzukommen. Der Plan ist nicht wirklich auf Gegenliebe im Spähtrupp gestoßen, aber er war halt die beste Lösung für unseren Angriff. Jeder wusste, wir würden einen kurzen, aber wirksamen Schlag austeilen, der uns im Vorfeld körperlich alle Kraft abverlangen würde. Jeder Fehler bei der Annäherung könnte unsere einzige Chance, das Vorkommando auszuschalten, aushebeln und wir wären im steilen Gelände recht wehrlos. Trotzdem und genau deswegen waren wir sicher, dass dieser Zugang kaum bis gar nicht gesichert war und wir sollten Recht behalten.

Zwei von uns blieben vorerst beim Fahrzeugversteck zurück und warteten ab, bis wir vier tief genug im Graben vorangekommen waren, um unseren Aufstieg anzugehen. Über Funk meldeten wir uns bei ihnen und haben die beiden losgeschickt, um sich weit genug an die Straßensperre heranzuarbeiten und im richtigen Moment diese anzugreifen. Wir wollten damit das Vorkommando aus dem Gebäude locken und deren Konzentration nach Süden lenken, um ihnen von Norden her den Garaus zu machen. Die beiden sind ruhig und konzentriert Schritt für Schritt, immer Deckung suchend, teilweise nahe dem Boden, vorgegangen. Die Vorposten schienen noch nicht mit Aufklärung oder Angriff zu rechnen und waren zu hören und fallweise auch zu sehen. Es war nicht nötig, so weit an sie heran zu kommen, dass die komplett ausgeschaltet würden. Zwei von vier würden reichen und das geht auf 100 Meter immer, vor allem dann, wenn die Burschen sich unbedarft verhalten. Wichtiger war der Effekt, der mit dem Angriff von unten erhofft war und, dass ein schnelles und sicheres Absetzen, nach dem das Vorkommando von oben her zu unterstützen beginnen würde, sichergestellt wäre. Zudem war für die beiden wichtig zu wissen, aus welcher Richtung wir wirken würden – friendly fire, wie das so schön genannt wird, tut gleich weh wie das vom Feind. Also sollte das Störmanöver von Südwest ausgehen und der Rückzugsweg irgendwo zwischen 180 und 220 Grad liegen, auf keinen Fall weniger. Wir wollten von oben, wenn möglich westlich, seitlich am Gebäude vorbei dem Feind in den Rücken fallen und keinesfalls über die westliche Straßenseite hinaus schießen. Unser Störtrupp konnte sich in aller Ruhe an die Sperre heranarbeiten, wir brauchten länger, um die steile Grabenseite zu überwinden um von hinten an das Gebäude heranzupirschen.

Wir sind also in den Graben hinein und weit genug nach hinten gegangen, um oben auf der Rückseite des Gebäudes heraus zu kommen. Dadurch entfernten wir uns natürlich vom Ziel, der Aufstieg ist dementsprechend länger geworden, aber die Gefahr, zufällig entdeckt zu werden, sank folglich. Der Grund des Wassersammlers war breit genug, um einen für uns recht nützlichen Weg zu führen. über den wir sehr flott vorankamen. Mit den Erfahrungen rund um die Kaserne waren wir uns sicher, dass hier unten, so weit vom Ziel entfernt, weder Sicherungen noch Beobachter eingesetzt waren. Als wir dann endlich weit genug vorgegangen waren, um den Aufstieg angehen zu können, sind wir noch ein gutes Stück über steilen Waldboden aufgestiegen. Das MG und die Gurtkästen waren noch kein Problem, anfangs konnten wir auch unsere Sturmgewehre noch halb angeschlagen tragen. Unsere Strecke wurde aber wirklich steil und wir konnten nicht mehr weiter, ohne uns auch mit den Händen an Bäumen, Wurzeln und Gestein festzuhalten. Im oberen Viertel habe ich dann alle Sympathiewerte im Trupp verloren, wir mussten das MG und die Gurtkästen von Mann zu Mann weitergeben. Ein zeitraubendes und kräftezehrendes Unterfangen. Wir mussten so leise wie nur möglich hinaufkommen, das hat mir tausend Flüche erspart, aber ich wusste, was mir meine Kumpels an den Kopf werfen würden, wenn sich oben nicht der geplante Erfolg einstellte.

Nach einer gefühlten Ewigkeit sind wir oben angekommen und mussten trotz aller antrainierter Kondition und Kraft eine kurze Pause einlegen. Wir kauerten also 150 Meter im Rücken des Zielgebäudes und beobachteten, horchten und

wollten uns natürlich noch ein Bild von der Lage machen. Das Gebäude war innen wie außen beleuchtet, wenig Bewegung außen und innen tat sich gar nichts. Auf die Entfernung schien das jedenfalls so. Wir mussten ohnehin näher heran und da wir auf unserer Seite keine Anzeichen einer Sicherung ausmachen konnten, haben wir uns vorerst ein Stück Richtung Osten verschoben, um die Sicherungen an der Ostseite auszuspähen. Wenig Zeit – was blieb uns übrig, als eine kurze, oberflächliche Erkundung, mehr war nicht möglich, wenn wir mit unserem Angriff nicht in die Dämmerung hinein kommen wollten.

Drüben waren zwei Posten am Weg, die sich kurz mit Leuten in einer Senke unterhielten. Damit waren zumindest eine besetzte Stellung und die beiden Streifengänger ausgemacht. Mit dieser Erkenntnis sind wir zurück, um an der Westseite einen guten Platz für unseren Feuerüberfall zu finden. Knapp an der Abbruchkante zum Graben hinunter waren wir so tief hinter der Geländekannte, um gerade noch darüber hinweg das Gebäude und die Fläche davor zu einzusehen. In der Art gingen wir so weit wie nötig vor, um gleichermaßen gegen die Südseite des Gebäudes und den Waldrand, vorne in Richtung Süden, wirken zu können. Eines war klar: Wenn Abwehrstellungen vorbereitet waren, dann würden die so liegen, dass die Straße und der direkte Weg durch den Wald herauf gesichert waren. Wir brachten uns also mit dem MG nach unten in Stellung und richteten uns mit zwei Sturmgewehren nach oben aus. Ich funkte unsere Kammeraden unten bei der Straßensperre an und gab den Angriffsbefehl. Der Moment war perfekt, die beiden sagten uns später, dass die Sperrposten in dem Moment gut sichtbar zusammengestanden sind und somit im ersten Feuerschlag auch zu Boden gegangen wären. Mit Platzpatronen im Lauf wissen die Getroffenen das natürlich nicht und fangen naturgemäß an zurückzuschießen – ist halt so.

Mit „ Verstanden Ende" ging daher unten der Feuerzauber ohne weitere Verzögerung los. Die Streifengeher waren nicht in unserem Sichtbereich, die sind aber an der Rückseite des Gebäudes an unserer Seite gewesen und liefen kurz nach Beginn des Angriffs direkt vor uns vorbei, um an den südwestlichen Waldrand zu kommen. Dort gingen sie in Stellung, konnten zwar unsere beiden Kameraden nicht ausmachen, aber das war halt ihr vorgegebener Platz. Nicht lange danach kam die restliche Besatzung aus dem Haus gestürmt. Einige auf einmal und der Rest eher einzeln. Als wir das Gefühl hatten, es wären wohl alle draußen, haben wir von hinten in die Stellungen gefeuert, das war einfach. Bis auf die ostwärtige Stellung konnten wir sie alle sehen. Im Eifer des Gefechts ist denen nicht aufgefallen, dass wir nicht zu ihnen gehört haben und wir wurden vorerst gar nicht erkannt.

Unten haben sich unsere beiden Kameraden schön langsam zurückgezogen. Fallweise haben sie noch Blitzknaller in den Wald geworfen, um noch einige Aufmerksamkeit auf sich zu lenken. Immer bedacht auf Deckung gelangten sie aus dem Wald und bauten am Straßenrand eine Sicherung auf, damit wir Oberen dann schnell auf die andere Seite kommen konnten. Wir hingegen mussten nun noch den ganzen Wald Richtung Süden hinter uns bringen. Als es im Wald leiser wurde und wir sicher waren, alle erwischt zu haben, sind wir gerade aus runter Richtung Straße. Im Eifer des Gefechts haben wir noch Blitzknaller in die uns nächste Stellung geworfen, das hätten wir uns sparen können. Erst da ist der Gruppe oben aufgefallen, dass wir nicht dazu gehören. Ohne die Blitzknaller hätten die wahrscheinlich gedacht, wir sind Eigene und würden die Angreifer verfolgen – was soll's, es waren ohnehin schon alle erledigt. Aber damals war das wie immer in solchen Fällen: Ohne Schiedsrichter machen alle mit Platzpatronen bekämpften Soldaten weiter und schießen bis zum Ende der Munition. So sind wir mit ordentlich Feuer im Rücken durch den Wald nach unten, um bei unserem Treffpunkt die Straße zu überqueren. Das war recht einfach, denn die einzige Stellung, die uns wirklich hätte sehen und treffen können, war mehrfach bekämpft worden, da konnte keiner mehr gefährlich werden. Von den anderen Stellungen weiter ostwärts, die wir ebenfalls von oben ausgeschaltet haben, waren wir durch die Hangform getrennt – alles lief perfekt.

Unten angekommen, sind wir ohne viel Aufsehen zurück zu unserem Pinzgauer, mit dem wir dann in der Morgendämmerung die Gegend verlassen haben. Nach den doch etwas dünnen Aktionen bei der Kaserne haben wir am Hochkönig eine Glanzleistung vollbracht und sind dementsprechend frohgesinnt zurück zum Debriefing bei unserem 50-iger.

Ion L. Idriess

Der Scout bei Nacht

Eine australische Anleitung für Späher

Einführung

Die Nacht ist jene Zeit, in der der Scout den größten Teil seiner Arbeit leistete, insbesondere die Arbeit hart am Feind, knapp hinter den feindlichen Linien oder mitten in ihm. Die Nacht ist sein Schutzmantel, unter dem er durch feindliches Gebiet marschiert, ja selbst mit dem Feind mitmarschiert!

Ich habe Scouts gekannt, die sich einer feindlichen Kolonne angeschlossen haben. Mit einem Mantel des Feindes bekleidet und ein feindliches Gewehr um die Schulter gehängt, suchten sie marschierende feindliche Bataillone auf und begleiteten sie auf ihrem Weg über staubige Marschstraßen. Als Phantom marschierte der Scout mit ihnen, ständig bereit, abzuspringen und wieder zu verschwinden.

Dabei beobachtete er die Dienstgrade, während er das Bataillon an sich vorbeiziehen ließ, verbarg sich im Schatten, erwartete das nächste Bataillon und zählte die Soldaten und die Maschinengewehre. Wenn er das Knarren der Lafetten hörte, verlangsamte er sein Tempo noch mehr und zählte die Kanonen und Munitionsfahrzeuge, während sie an ihm vorbeirollten. Dann verbarg er sich im Schatten einer Baumgruppe und notierte die Uhrzeit. Noch zwei Stunden lang marschierte Kolonne um Kolonne an ihm vorüber.

Der Scout hatte die Stärke der Truppen, die in dieser Nacht an die Front marschiert waren, genau aufgeklärt. Er kannte ihre Marschrichtung und ihre Ausrüstung. Stundenlang war er in Tuchfühlung mit dem Feind gewesen, manchmal nur Dezimeter von ihm entfernt.

Vielleicht musst du einmal einen ähnlichen Auftrag ausführen.

Ein guter Scout entfaltet seine Kühnheit bei Nacht. Er hat die Augen einer Eule und die Geräuschlosigkeit eines Phantoms. Ein solcher Scout wird niemals gefangen.

Für die Arbeit des Scouts gelten Regeln. Denke über sie nach, bis du sie richtig verstehst. Merke sie dir und wende sie an. Sie verleihen dir Selbstvertrauen. Die Regeln lauten:

- Sehen und nicht gesehen werden;
- hören und nicht gehört werden.

Bedenke: Alles was der Feind nicht sieht oder hört, bleibt ihm verborgen. Behalte die Orientierung, sammle Informationen und bringe sie zurück. Das sind die Aufgaben des Scout bei Nacht.

Reden wir zuerst einmal über das

Sehen und nicht gesehen werden

Der Sehsinn wird gerade bei Dunkelheit gut entwickelt, allerdings muss man dazu die Augen benützen. Damit meine ich, dass man aktiv sehen lernen muss, und nicht einfach entlangspazieren und mit den Augen nur passiv aufnehmen: Wenn du einen Baum siehst, dann erkenne ihn auch als Baum und nicht als plumpen Schatten. Schau den Baum an, bis du den Stamm siehst, dann die Äste und das Laub. Selbst die Rinde kann man ausmachen und die Wurzeln am Boden, hinter denen sich ein Mensch versteckt halten mag. Beachte den Schatten, den der Baum wirft und in dem sich vielleicht ein feindlicher Wachposten verbirgt. Er hockt dort oder liegt am Bauch. Zwar können deine Augen den tiefen Schatten nicht durchdringen. Aber wenn du ihn übersiehst, kann es deinen Tod bedeuten. Daher konzentriere deine Augen auf den Schatten, bis du sicher bist, dass es nur ein Schatten ist und keine Form, kein dunkler Klumpen eines Menschen. Überzeuge dich, dass in dem Schatten kein zweiter Schatten ist.

So schaut man bei Dunkelheit einen Baum an. Aber nicht nur einen Baum, sondern auch Häuser, Büsche, einen Hügel oder eine Senke. Die Dunkelheit verbirgt vieles. Übe deine Augen, damit sie auch das Verborgene sehen. Davon hängt nicht nur dein Leben ab, sondern auch die Erfüllung deines Auftrages. Schärfe deine Sinne: Wenn du besser siehst als der Feind, ist er dir ausgeliefert, nicht umgekehrt. Daher weiß er auch nicht, dass du da bist. Du kannst dich ihm nähern, seine Gegenwart erkennen, dein Handeln ist keiner Beschränkung unterworfen.

Ein Hauptgesetz des Sehens bei Dunkelheit lautet: Schaue ins Helle, dann siehst du viel besser. Deine Augen werden Gegenstände mit faszinierender Klarheit erkennen, wenn du ihnen Gelegenheit gibst, ins Helle zu schauen.

Es ist wie wenn du ein Opossum jagst. In der Dunkelheit erkennst du es nur, wenn es sich gegen den helleren Himmel abhebt. Du näherst dich einem Schattenklumpen. Dieser Klumpen ist ein Baum. Du erkennst kaum Einzelheiten an ihm, geschweige denn ein Opossum in seinen Ästen. Aber stelle dich einmal unter den Baum und blicke nach oben. Ein paar Äste sind jetzt deutlich zu erkennen, weil über ihnen der helle Sternhimmel für Kontrast sorgt. Aber die meisten anderen Äste sind nur vage erkennbar und ein Opossum findest du in diesem unbestimmbaren Dunkel niemals.

Aber wenn du deinen Standort unter dem Baum langsam veränderst und den Kopf wie eine Schlange wiegst, bildet jeder Ast seine Silhouette vor dem hellen Hintergrund des Himmels und schließlich siehst du sogar jeden Zweig gestochen scharf. Sofern überhaupt Mondlicht vorhanden ist, kannst du selbst die kleinsten Blätter erkennen, wenn du dich langsam bewegst und immer in einem anderen Winkel nach oben blickst.

Wenn ein Opossum im Baum ist, wirst du es rasch finden. Vielleicht siehst du seine Augen oder die feinen Haarspitzen seines Pelzes. Und über dem Opossum siehst du vielleicht sogar einen Nachtvogel. Wenn man einmal weiß, wie es gemacht

Als 1943 die Gefahr einer japanischen Invasion Australiens immer größer wurde, unternahm das Land massive Verteidigungsanstrengungen. Eine Maßnahme war, die Kriegserfahrungen des Ersten Weltkriegs zu sammeln und wieder zugänglich zu machen. Da weite Gebiete Australiens niemals verteidigt, sondern bestenfalls überwacht werden konnten, kam es insbesondere darauf an, Späher und Aufklärer auszubilden, die eingedrungene japanische Kräfte lokalisieren und verlässliche Feindlagemeldungen liefern konnten.
Dazu erschien nach 1943 eine „The Australian Guerilla" genannte Serie von Broschüren, die sich dieser Thematik intensiv widmete. Einem dieser Bände („The Scout") ist dieser Auszug entnommen.

wird, ist es ganz einfach. Nur der Anfänger steht unter dem Baum und sieht nichts.

Du musst dir darüber im Klaren sein, dass es auch in der Nacht eine Menge Licht gibt. Licht, das von hellen Flächen im Gelände reflektiert wird, von der glänzenden Oberfläche eines Steines oder von einem Lehmabhang. Du musst lernen, daraus Nutzen zu ziehen und Scout-Augen entwickeln. Am Tag ist überall Licht, es umflutet alles. Bei Nacht findet sich Licht nur stellenweise zwischen den dunklen Schattenflächen, obwohl ständig das Licht der Nacht zu Boden fällt. Deine Augen müssen das zögernd einsickernde Licht aufspüren und einfangen, dann können sie auch sehen.

Dabei braucht man keineswegs eine mondhelle Nacht, es genügt auch das Licht eines klaren Himmels und etwas Erfahrung. Und genauso kann man auch einen Menschen bei Dunkelheit erkennen, indem man ihn zwischen die Augen und das Licht nimmt und er sich so vor dem Licht als Silhouette abhebt. Wenn ein Mann in der Dunkelheit vor einem Felsen steht, vor einem Baum oder einer Hausmauer, ist er nicht zu sehen. Aber wenn hinter ihm oder vielleicht nur hinter seinem Kopf ein heller Hintergrund ist, erkennt man ihn sofort. Du musst dich nur bewegen und den Schatten, in dem er sich verbirgt, von möglichst vielen Seiten ansehen.

Der Horizont ist eine gute Lichtscheide. Aber mit Horizont ist nicht nur eine ferne Geländelinie gemeint, sondern buchstäblich jede Lichtscheide, über der man Gegenstände gegen den hellen Himmel gut erkennt, selbst wenn der Himmel nur wenig heller ist als der Geländeschatten unter ihm. Du bist vielleicht in einem Bachbett, dann ist dein Horizont das höher liegende Bachufer. Und sobald sich jemand dem Ufer nähert, hebt sich sein Kopf gegen den Rand des Bachufers ab. Dazu braucht man nicht einmal einen Mond. Selbst wenn der Kopf nur als runder Klumpen im düsteren Gegenlicht erscheint, ist er zu erkennen. Du siehst ihn, aber er sieht dich nicht.

Dein Horizont mag auch eine niedrige Geländekante im Mittelgrund sein. Stehend erkennst du sie in der Finsternis kaum. Sie wird aber sofort zur scharfen Lichtscheide, wenn du dich zu Boden legst. Sie bildet jetzt eine markante Grenze zwischen dem Dunkel des Bodens und dem hellen Himmel. Wenn nicht, dann ist dein Blickwinkel noch zu steil und du musst näher an sie heran. Je näher und tiefer dein Standort ist, desto besser siehst du die Geländekante gegen den Himmel und du siehst auch den Mann auf der Kante, wenn er nicht vor einem Baum oder einem Felsen sitzt.

Dein Horizont braucht auch nur wenige Meter breit zu sein, vielleicht nur ein schmaler heller Fleck zwischen den Bäumen. Wenn du dich auf den Boden legst, siehst du viel klarer, gerade dort wo das Licht zwischen den Bäumen durchfiltert. Du musst alles zum Horizont machen. Du musst nur etwas Licht hinter den Gegenstand bringen, den du betrachten willst, und schon hebt er sich als Silhouette ab.

Vielleicht erkennst du jetzt, wie man in der Dunkelheit die Augen benützt.

Mache dir das spärliche Licht zunutze. Bewege dich und suche das Gelände sorgfältig mit den Augen ab. Beobachte so, dass das Licht hinter dem beobachteten Objekt ist. Unsichtbares Licht genügt.

Mit unsichtbarem Licht meine ich ein Licht, von dem man nicht weiß, dass es da ist. Du gehst beispielsweise durch einen Wald, in dem es finster ist wie in einer Höhle. Aber knie nieder oder lege dich auf den Boden. Wiege deinen Kopf hin und her. Du wirst rasch einzelne Baumstämme erkennen und auch stellenweise den Boden. Das deshalb, weil auch zwischen den Bäumen Licht zu Boden fällt. Wenn du aufrecht gehst, siehst du dieses Licht nicht, weil es unter einem ganz anderen Winkel einfällt im Vergleich zum Blickwinkel deiner Augen. Außerdem bist du ringsum von Bäumen umgeben. Aber aus der Vogelperspektive könntest du im dichten Baumbestand zahlreiche „Löcher" entdecken: Mehr oder minder große Zwischenräume zwischen den Bäumen, durch die das Licht seinen Weg zum Boden findet.

Am Boden liegend und den Kopf hin und her bewegend, erkennt das Auge dieses fahle Licht und kann so selbst im dichten Wald gut beobachten. Es lässt die Baumstämme erkennen und den schattigen Umriss eines Menschen. Wenn du dir über einen Schatten und das, was er verbirgt, im Unklaren bist, dann krieche etwas umher, bis du Licht hinter ihm hast und die Silhouette verrät sein Geheimnis.

Es ist oft überraschend, wie viel Licht man hinter einen Gegenstand bringt, wenn man nur tief genug zu Boden geht. Man sieht dann manchmal Gegenstände selbst ohne Horizont.

Wenn du ein Objekt vor dir hast und Licht dahinter, dann betrachte es ruhig, aber ohne Anstrengung. Die Konturen werden langsam schärfer, es nimmt Form an. Lass die Augen schauen, sag ihnen, dass sie sehen müssen. Das ist keineswegs kindisch: Die Augen arbeiten für das Gehirn wie ein Arbeiter, dem sein Chef sagt, was er tun soll. Das ist ganz natürlich. Und indem sich die Augen bemühen zu sehen, wird ihr Mechanismus in Gang gesetzt und sie fangen von selbst das Licht ein. Wenn man etwas Übung hat, ist es ein Vergnügen zu entdecken, wie gut sich die Augen an alle Bedingungen der Nacht anpassen.

*

Kehren wir zum Kern der Sache zurück: Du musst das Objekt, das du in der Dunkelheit betrachten willst, zwischen die Augen und einen hellen Hintergrund bringen. Wenn das Auge einmal daran gewöhnt ist, kannst du jedes einzelne Blatt an einem Grashalm erkennen und selbst den Käfer, der auf dem Blatt klettert.

Ich weiß, dass das so ist, denn ich habe es selbst erlebt. Du musst es nur ausprobieren, irgendwo. Du musst nur deine Augen beauftragen, zu sehen und du musst ihnen auch die Chance dazu geben. Lege dich auf den Boden und richte die Augen nach oben gegen das Licht. Du brauchst keinen Mond, es genügt ein entfernter Stern. Du wirst erkennen, dass ich die Wahrheit gesagt habe.

Stell dir vor, du bist an einem nächtlichen See. Einem ruhigen See. Im Sternenlicht kannst du die Fische sehen. Ich habe sie oft im Korallensee beobachtet.

Mit diesen wenigen Beispielen wollte ich zeigen, wie man bei Nacht sieht. Es genügt aber nicht, diese Zeilen bloß zu lesen; du musst die Bedeutung der Worte verstehen und dann praktisch ausprobieren. Bald wirst du erkennen, dass du auch bei Nacht sehen kannst und du wirst ein viel besserer Scout sein.

Sieh mit den Augen einer Katze

Wenn du auch trachtest, den Feind zu entdecken, indem du ihn als Silhouette gegen den Horizont beobachtest, musst du natürlich auch aufpassen, dass du selbst nicht in die gleiche Falle läufst. Wenn du hinter dir einen hellen Hintergrund hast, kann der Feind dich erkennen.

Das wirft die Frage des Hintergrundes auf. Du musst deinen Rücken und deine Flanken schützen; das Mittel dazu ist die richtige Wahl des Hintergrundes.

Wenn ein feindlicher Posten mit dem Rücken zu einem Baum steht oder sitzt, im Schatten einer Hausmauer oder einer dunklen Senke, hat er einen sicheren Hintergrund. Wenn er sich ruhig verhält und kein Geräusch verursacht, vermagst du ihn nicht zu erkennen. Umgekehrt bist auch du nicht zu erkennen, wenn du dich an die feindliche Stellung heranarbeitest und dabei auf einen dunklen Hintergrund achtest. Es genügt, wenn dein Hintergrund das Dunkel der Nacht ist und du dich tief in eine Geländefalte drückst, dass sich deine Kontur nicht darüber hinaushebt.

Überlegen wir eine andere Möglichkeit: Du marschierst auf einer Straße, die Nacht ist finster. Auch die Straße ist dunkel. Der Schatten der Bäume am Straßenrand fällt auf sie und verdunkelt sie noch mehr. Und dennoch: Im Vergleich zum übrigen Gelände ist sie hell. Alles Licht, das zum Boden fällt, fällt auch auf die Straße. Wenn du dich auf die Straße legst und ihr entlang beobachtest, wirst du überrascht sein, was du alles sehen kannst.

Solange du am Straßenrand im Schatten der Bäume marschierst, hast du dunklen Hintergrund um dich und deine Silhouette zeichnet sich nirgendwo ab. Und solange du dich tief im Schatten hältst und dein eigener Schlagschatten nicht über den Schlagschatten der Bäume hinausreicht, kann dich der Feind nicht sehen.

Wir haben gesagt, dass du den Feind durch Aufnehmen von Licht entdecken kannst, indem du ihn gegen hellen Hintergrund beobachtest. Und genau in derselben Art und Weise kann er dich beobachten.

Du musst nun die Straße überqueren. Darin liegt eine Gefahr. Gleichgültig wie finster die Straße erscheinen mag: Tatsächlich ist sie heller als der verbergende Schatten der Bäume, in dem du dich noch befindest. Das ebene Band der Straße reflektiert alles Licht, das einfällt. Und da wird die „Höhe" zum entscheidenden Faktor.

Gegen die „Höhe" der Baumschatten warst du nicht auszumachen. Du konntest keine verräterische Silhouette bilden. Sobald du dich aber auf die hellere Straße hinausbegibst, ist das anders. Es kann ein feindlicher Posten da sein, der entlang der Straße beobachtet. Die Höhe der Baumschatten bedeutet ihm nichts. Aber die Höhe des Schattens eines Mannes, der die Straße überquert, kann er sofort ausmachen. Am besten wäre es, wenn du die Straße in einer Senke oder am Fuße einer Steigung überqueren könntest. Dann hast du wieder den Schutz des Hintergrundes. Nur selten aber findet sich eine solche Geländeform. Die Straße ist mehr oder weniger eben.

Aber beobachte genau: Selbst eine gut angelegte Straße ist selten wirklich eben. Das, was du suchst, ist eine geringfügige Unebenheit, in deren Schutz du hinüber-

Versteckt sich da jemand im Baum oder nicht?

kriechen kannst. Wenige Zentimeter reichen schon aus, dich unsichtbar zu machen.

Überlegen wir den Begriff der „Höhe" in einem anderen Gelände: Du hast die Straße unerkannt überquert, auch der Wald liegt hinter dir und jetzt stehst du in offenem, nur spärlich bedecktem ebenem Gelände. Deine Höhe ist jetzt eine Gefahr. Du magst denken, auf einer dunklen freien Fläche seist du sicher. Aber wenn sich ein feindlicher Posten vielleicht nur 200 m entfernt zu Boden legt, sieht er dich sofort, weil sich dein Umriss gegen den Horizont abhebt. Es ist einfach eine Frage der Höhe. Wenn der feindliche Beobachter an der richtigen Stelle liegt, kann sich dein Kopf sogar über den dunklen Streifen des Waldes hinter dir hinaus abheben.

Halte dich also im tiefsten Teil dieser Ebene. Selbst in einer Ebene sind einige Geländeteile tiefer als andere. Schärfe deine Sinne und erinnere dich, wie du den Feind beobachtest. Und genau so beobachtet er dich. Hebe dich nicht am Horizont als Silhouette ab; sorge dafür, dass du Dunkelheit hinter dir hast.

Sehen und nicht gesehen werden. Und während du siehst, musst du noch eine Menge anderer Dinge beachten. Etwa ob dein Weg nur für Fußtruppen geeignet ist oder ob ihn auch motorisierte Truppen befahren können. Scout sein ist eine faszinierende Aufgabe, aber es ist viel mehr als bloßes Indianerspielen.

Du bist um so sicherer, je mehr du deine Sinne schärfst und je geübter deine Augen sind. Deine Augen sind hochspezialisierte Organe und sie leisten um so mehr, je mehr du sie forderst. Die Buschmänner Australiens besitzen eine faszinierende Beobachtungsgabe bei Tag wie auch bei Nacht. Sie haben dieselben Augen wie du, aber sie haben ihre Augen trainiert. In ihrem Existenzkampf können die Buschmänner es sich nicht leisten, auch nur eine Kleinigkeit zu übersehen. Die Leistungsgrenze der Augen liegt nur in ihrem Training.

Die Augen müssen dir sagen, was sie sehen, aber dazu bedarf es auch deines Kopfes und deines Willens. Die Augen dürfen dich nicht einfach warnen, dass da vorne im klumpigen Schatten der Bäume eine Gefahr sein könnte. Sie müssen sich auf diesen Schatten konzentrieren, nicht Möglichkeiten, sondern Fakten suchen. Versuche es und nach kurzer Zeit werden die Details sichtbar, die aus der unbestimmbaren Form des Schattens Einzelheiten erkennen und auf die Bedeutung des Schattens schließen lassen. Und die Leute werden sagen: „Er hat die Augen eines Adlers".

Bei Nacht beobachte sorgfältig in das etwas hellere Dunkel vor dir. Egal wie finster die Nacht ist, immer finden sich da und dort Stellen, die etwas heller sind als ihre Umgebung, je nach der Art des Geländes. Konzentriere deine Augen auf den hellsten Fleck, den du ausmachen kannst. Langsam wird er dir noch heller erscheinen und er wird sich scheinbar vergrößern. Und du beginnst zu sehen. Anfangs zwar nur unklar. Aber dann schwenkst du deinen Blick auf einen anderen vom Licht erfassten Fleck. Nicht ganz so hell wie der erste, aber rasch wirst du auch dort Einzelheiten ausmachen können. Und bald werden dir auch die dunklen Teile des Geländes nicht mehr ganz so dunkel erscheinen.

Immer werden einzelne Flächen oder Flecken heller sein als andere. Richte deinen Blick auf sie und lass ihn dort ruhen. Es ist unerheblich, ob diese hellen Flecken nah sind oder weit entfernt. Bald werden sich deine Augen auf die feinen Lichtunterschiede der Nacht einstimmen und unaufhörlich sehen deine Augen und erkennen immer mehr Einzelheiten.

In ausnehmend finsteren Nächten sollte man von Zeit zu Zeit nach oben blicken. Nicht nur dass der hellere Himmel die Arbeit der Augen unterstützt, im Busch- oder Waldgelände kann es die einzige Möglichkeit sein, die Richtung einzuhalten. Den Pfad im Wald erkennst du über dir an den auseinanderstehenden Baumkronen und der schmale Streifen Himmel markiert den darunterliegenden Weg.

Starre nicht pausenlos auf einen Gegenstand, denn dann beginnt er sich scheinbar zu bewegen und täuscht das Auge. Führe den Blick von ihm weg und langsam wieder zurück. Betrachte Gegenstände aus den Augenwinkeln. Wenn du etwa vermutest, dass ein Mann bei einer Buschgruppe steht, dann schau links oder rechts an ihm vorbei. Lass den Blick um ihn schweifen, so erkennst du seine Kontur am besten. Und wenn er sich bewegen sollte, erkennst du ihn um so sicherer. Aber starre ihn nicht an. Es scheint, dass das Auge in der Mitte der Pupille einen toten Punkt hat. Jedenfalls muss man am Gegenstand vorbeischauen, wenn man ihn gut sehen will. Vielleicht hängt diese Erscheinung mit den Bewegungen des Auges zusammen.

(Anm.d.Übers.: Man muss bedenken, dass dieser Text im Jahre 1943 entstand. Der Verfasser hat zweifellos gut beobachtet; der „blinde Fleck" in der Netzhautgrube ist die Ursache für diese Erscheinung, sie dürfte ihm aber nicht bekannt gewesen sein).

In mondhellen Nächten ist es möglich, genauso klar zu sehen wie bei Tag. Ebenso deutlich kann man im Sternenlicht sehen, auch ohne Mond. Aber man muss dazu die Augen üben. Und deine Gedanken müssen die Augen zur Arbeit zwingen.

In sehr dunklen Nächten erkennst du manchmal den Horizont nicht und kannst daher nichts sehen. Du fürchtest, dem Feind im Dunkeln in die Arme zu laufen. Aber bedenke, vielleicht kannst du den Horizont von einem anderen Standort erkennen. Vielleicht ist der Himmel bewölkt, helle Stellen finden sich nur spärlich zwischen den Wolkenbänken. Dann musst du dich eben bewegen, um einen solchen hellen Fleck am Himmel hinter das fragliche Geländestück zu bekommen. Suche eine bessere Position weiter links oder weiter rechts, lege dich zu Boden und vor dir wird ein heller Horizont sein, vor dem du die Silhouetten feindlicher Soldaten und Fahrzeuge erkennst. Manchmal ist das Mondlicht nur zeitweilig da, manchmal sieht man auch überhaupt keinen Mond. Das macht die Sache zwar schwieriger, aber es ändert die Grundsätze nicht.

Beobachte und die Nacht wird bald weniger finster erscheinen als zuvor. Bewege dich, bis hinter dem, was du sehen willst, Licht ist und sich ein Horizont bildet. Suche diesen Horizont mit den Augen ab.

Wir haben gesagt, dass du das Mondlicht hinter deinem Objekt, das Du beobachten willst, haben sollst. Wenn es aber eine sehr mondhelle Nacht sein sollte, dann kann dasselbe wie bei Tag gelten: Bringe den Mond in deinen Rücken. Wenn du gegen den Vollmond schaust, kann dich sein Licht ebenso blenden wie wenn du in die Sonne hinein beobachten wolltest.

Trotzdem wirst du im Laufe der Zeit die Erfahrung machen, dass es weit mehr dunkle Nächte gibt als mondhelle. In sehr mondhellen Nächten können die Verhältnisse ähnlich wie bei Tag sein. Du kannst besser sehen, das gilt aber auch für den Feind. In klaren Nächten können Schatten sprechen. Du magst leise sein wie ein Panther, aber dein Schatten kann dich dennoch verraten.

Bleibe im Schatten, wenn es nur irgendwie geht. Und achte auf deinen eigenen Schlagschatten. Stell dir vor, du stehst in einer mondhellen Nacht auf einer mondbeschienenen Wiese: Du wirfst einen langen Schlagschatten. Du gehst durch den Busch. Denke dich in deinen Feind hinein. Er entdeckt deinen Schatten, er erkennt deinen Kopf im Schattenriss. Dein Schlagschatten verschwindet zwar, aber der Feind hat jetzt sein Gewehr im Anschlag und all seine Sinne sind hellwach. Und dann kommt dein Schatten wieder, er taucht zwischen zwei Schatten eines Gebüsches auf, bewegt sich und ist wieder verschwunden. Und bald darauf läufst du in eine Kugel oder in ein Bajonett.

Schatten sind trügerisch. Denke darüber nach, probiere aus, studiere die Schatten. Mit Schatten kannst du den Feind täuschen und ihn überlisten. Verwende den Schatten so, wie du auch das Licht verwendest.

Noch einige Beispiele über die Arbeit mit Schatten: Du durchquerst in einer hellen Mondnacht feindbesetztes Gelände. Wenn es eine kühle Nacht ist, tragen die feindlichen Soldaten Mäntel und Mützen. Eigne dir Mantel und Mütze an und trage sie. Dann siehst du selbst so aus wie der Feind und auch dein Schatten hat die Konturen des Feindes. Du kannst dich so dem Feind bis auf wenige Dezimeter nähern. Dein Schatten gleicht dem des Feindes und erregt keinen Verdacht. Und inmitten des Feinden gibt es so viele feindliche Schatten, dass deiner gar nicht auffällt. Du hast einen gefährlichen Auftrag und nicht immer lässt sich ein Risiko vermeiden. Aber du hast mehr Handlungsfreiheit, wenn du wie ein feindlicher Soldat aussiehst.

Um dich sind viele Feinde, aber nur wenig Gehölz, das tarnende Schatten wirft. Zwischen spärlichem Bewuchs breitet sich Grasland aus, auf dem Männer und ihre Schatten deutlich sichtbar sind. Dennoch kannst du dich in feindlicher Uniform gefahrlos bewegen, weil du und dein Schatten wie der Feind aussehen.

Ich kannte einen Scout, der arbeitete in türkischer Verkleidung. Es war eine klare Mondnacht und er hatte einen dringenden Auftrag auszuführen. Er schlüpfte durch die türkischen Sicherungen und an den Versorgungsdiensten vorbei tief hinter die türkischen Linien. Dort war regsame Aktivität. Als er eine Straße überquerte, stand er plötzlich vor einer Trainkolonne und einer langen Reihe kauernder Kamele. Zahlreiche türkische Soldaten luden Versorgungsgüter von den Trainwagen auf die Kamele um. Der Scout wanderte durch die Reihen und gab sich den Anschein eines Türken, der beim Umladen mithalf. Ein Offizier blickte misstrauisch zu ihm herüber. Er ging zu einem Stapel von Säcken mit getrockneten Aprikosen und Datteln, lud sich einige davon auf die Schulter und verschwand zu den im Schatten hockenden Kamelen.

Natürlich ging er zu dem am weitesten entfernten Kamel. Niemand nahm von

Die Buschmänner Australiens besitzen eine faszinierende Beobachtungsgabe.

ihm Notiz. Während er das Kamel mit den Säcken belud, wandte er kein Auge von den Fahrzeugen ab. Und als er sicher war, dass sich niemand um ihn kümmerte, glitt er schnell und leise in die Nacht zurück.

Du siehst: Das Unerwartete kann jederzeit eintreten. Wenn es soweit ist und du gut getarnt bist und wenn deine Sinne hellwach sind, wirst du mit großer Sicherheit kaltblütig das Richtige tun. Wenn nicht, dann hast du immer noch eine gute Chance, in der Dunkelheit zu verschwinden. Selbst in einer mondhellen Nacht. Du bist zwar erkannt und der Feind hält nach dir Ausschau. Und du musst deine beste Tarnung aufgeben, nämlich die Unwissenheit des Feindes über deine Anwesenheit.

Schatten und die Sprache der Geräusche

Zurück zu den Schatten. Es ist eine helle Mondnacht und eine Menge Feinde sind um dich herum, „je mehr desto besser", sagt man. Komischerweise stimmt das zumeist. Je mehr Feinde an einem Ort, desto weniger wahrscheinlich scheint es ihnen, einen Feind in ihrer Mitte zu haben. Nur wenn sie in kleinen Gruppen zerstreut sind, musst du Vorsicht walten lassen. Dann achten sie auf jedes Geräusch und jeden Schatten und sind besonders vorsichtig.

Du selbst bewegst dich selbstverständlich im Schatten der Bäume, soweit das möglich ist. Aber wenn die Bäume weit auseinanderstehen, geht das nur selten. Immerhin fallen die Schatten auf dich herab und jeder Baum wirft einen Schatten.

Wenn du auf ein bestimmtes Ziel zu marschierst, so musst du deine Marschrichtung sorgfältig einhalten. Dazu beobachtest Du vorsichtig in Marschrichtung. Um diese Lektion über Licht, Schatten und Formen zu unterstreichen, wollen wir annehmen, dass das Gelände flach ist und die einzigen markanten Punkte die Bäume sind. So blickst du also nach vorne und wählst einen Baum als Zwischenziel, genau wie wenn du einen Kompassmarsch durchführen würdest.

Zwischen deinem „Zielpunktbaum" am Horizont und dir stehen zahllose andere Bäume und jeder wirft seinen Schatten. Deine Aufgabe ist es, diesen Schatten folgend den „Zielpunktbaum" zu gewinnen und von diesem aus den nächsten usw.

Zwischen den einzelnen Baumschatten liegen aber breite mondbeschienene Flächen. Die einzige Tarnung, die du bei ihnen finden kannst, ist deine Schlauheit. Überwinde diese hellen Flächen, indem du Augen und Ohren offen hältst und so schnell wie möglich. Aber nie in aufrechtem Gang! Je aufrechter du gehst, desto größer ist die Wahrscheinlichkeit, dass du gesehen wirst. Denn andere stehende oder gehende Feinde haben ihre Augen auf gleicher Höhe wie du und sie erfassen die Umrisse deiner Figur leichter. Noch rascher wirst du von einem sitzenden Feind erkannt, der von unten nach oben beobachten kann. Daher muss beim Überwinden der hellen Flächen deine eigene Silhouette so niedrig wie möglich sein. Du musst kriechen oder noch besser gleiten.

Sollte unerwartet Feind auftauchen, so bücke dich tief, wenn dazu Zeit ist. Wenn nicht, dann erstarre. Der Feind kann achtlos an dir vorübergehen, besonders wenn es sich um mehrere feindliche Soldaten handelt, die miteinander sprechen und deren Gedanken nicht bei der Sache sind. Häufig übersieht das Auge Dinge, nach denen es nicht sucht – besonders dann, wenn das Objekt völlig regungslos steht. Jede Bewegung hingegen kann tödlich sein.

Bist du entdeckt und kommt der Feind auf dich zu, dann gleite zurück und lauf zum nächsten Baum. Vom Stamm weg lauf entlang seines Schattens weiter zurück, schlage einen Haken um den hellen Fleck zum nächsten Baumstamm, weiter in seinem Schatten krieche quer zum nächsten Baum usw.

Höchstwahrscheinlich kannst du so deine Verfolger abschütteln. Sie werden dich im ersten Baumschatten aus den Augen verlieren; wenn du einen Haken schlägst, werden Ihre Augen in gerader Fluchtrichtung weitersuchen und dich abermals verlieren. Du verschwindest im Schatten und bist im Mondlicht nur kurze Zeit bei deiner Querbewegung zu sehen und gleich darauf schon wieder unsichtbar im Schatten. Die Verfolger beginnen herumzumarschieren, andere eilen herbei, sie rufen sich gegenseitig Mitteilungen zu. Behalte einen klaren Kopf. Konntest du sie verwirren? Du kannst sie gut beobachten, denn du liegst ja im Schatten. Wenn sie dich aus den Augen verloren haben, kannst du deinen Auftrag vielleicht doch noch erfolgreich zu Ende führen. Schlage um sie vorsichtig einen Bogen, sodass du in ihrem Rücken wieder auf deine alte Marschroute zurückkommst. Je weiter sie jetzt nach dir suchen, desto weiter entfernst du dich von ihnen – und bist noch dazu auf dem richtigen Weg.

Es ist das Köpfchen, das dir die beste Tarnung gewährt. Denke rasch und bewege dich rasch – damit überlistest du das Auge des Feindes. Deine Augen sind ja auch schon oft von einem Magier oder Zauberer getäuscht worden, wenn er seine Kunststücke vorführte. Um wieviel einfacher ist es, die Augen eines etliche Meter entfernten Feindes in einer Mondnacht zu täuschen. Deine Gerissenheit muss mit deinen eilenden Beinen Schritt halten, wenn du im Schatten verschwindest, an anderer Stelle kurz wieder auftauchst und erneut unsichtbar bist. Überlege dir das einmal. Dann erkennst du, dass deine Chancen selbst dann noch gut sind, wenn du Auge in Auge mit dem Feind stehen solltest. Und das gibt dir Selbstvertrauen und macht dich für deinen Beruf noch geeigneter.

Wenden wir uns wieder dem Marschweg zu. Du hast den Feind umgangen. Ein Baum wirft seinen Schatten in deine Richtung und im Schutze dieses Schattens gehst du auf ihn zu. Der Baumschatten tarnt dann auch deinen Schatten, weil er ja in dieselbe Richtung fällt.

Die Gefahr beginnt dann wieder jenseits des Baumes am mondbeschienenen Fleck. Sobald du das schützende Dunkel des Baumstammes verlässt, wirst nicht nur du selbst sichtbar, sondern vor allem auch dein Schatten. Beides kann dich einem feindlichen Beobachter verraten.

Bleibe zuerst einmal im Schatten liegen und beobachte vorsichtig nach links und rechts. Erst wenn du nichts Verdächtiges erkennen kannst, darfst du auch um den Baum herum nach vorne beobachten, aber immer vom Boden aus. So sieht man vorzüglich. Einen herumgehenden, stehenden oder sitzenden Feind entdeckst du so, noch ehe er dich entdecken kann.

Du beobachtest zuerst oberflächlich. Wenn dir nichts verdächtig erscheint, dann beobachtest du sorgfältiger, das ganze Gelände vor dir in seiner gesamten Tiefe. Dazu teile es gedanklich in Sektoren auf. Suche zuerst den Vordergrund ab, halbkreisförmig von links nach rechts. Halte den Blick bei jedem Schatten an und bei allen Dingen, die du dir nicht sofort erklären kannst; lass deine Augen die Dunkelheit durchdringen, bis jeder Verdacht beseitigt ist. Sodann suche in der gleichen Weise den Mittelgrund ab, zuletzt den Hintergrund. So kannst du nichts übersehen. Kommt dir etwas verdächtig vor, dann umgehe es über links oder rechts.

Schaue überall hin, nicht nur dorthin, wo du etwas vermutest. Der Feind kann sich auch an Plätzen verborgen halten, an denen du ihn nicht vermutest. Nur ein Amateur bezieht eine Stellung bei einem auffälligen Geländepunkt. Gehe davon aus, dass dein Feind gut ist und suche ihn auch an scheinbar ungeeigneten Plätzen. Beobachte genau. Erst dann darfst du hinter deinem Baumstamm hervorkommen. Beherzigst du das nicht, erwischt dich früher oder später eine Kugel.

Versetze dich in den Feind hinein und versuche, die Sache auch mit seinen Augen zu sehen. Wenn du dir das zur Gewohnheit machst, wirst du fast immer Fehler vermeiden können. Es wird dir auch helfen, an das „Rückwärts" zu denken und die Rückendeckung nicht zu vernachlässigen.

Du marschierst weiter

Du kommst zu einem Wasserloch, Du bist durstig. Du näherst dich dem Wasserloch, indem du dem Schatten eines Baumes entlangkriechst. Nun heißt es vorsichtig zu sein. Du bist unsichtbar, solange du dich im Schatten aufhältst oder dicht am Baumstamm an seiner Schattenseite. Aber am Wasser gibst du ein verräterisches Spiegelbild ab, wenn du aufrecht oder kniend hingehst. Du musst im Schatten bleiben, du musst dir dazu einen Schatten aussuchen, der bis zum Rand des Wasserloches reicht.

Sicherlich hast du am Wasser schon oft das Spiegelbild von Bäumen oder Menschen gesehen. Wenn es von dir stammt und der Feind ist in der Nähe, kann das dein Schicksal besiegeln.

Der Schatten kann auch verraten, wir haben schon davon gesprochen. Beachte aber auch, dass er um so verräterischer ist, je heller die Nacht ist. Dann zeichnet er die Umrisse des Objekts scharf und deutlich nach. Auch der Schatten eines hinter einem Felsen kauernden Mannes kann so scharf sein, dass ihn auch der einfältigste Beobachter nicht mit einem anderen harmlosen Schattengebilde verwechseln mag. Je heller die Nacht ist, desto mehr musst du danach trachten, dass dein Schatten von anderen Schatten getarnt wird. Auch der Schatten eines kleinen Zweiges zerreißt die Kontur deines eigenen Schlagschattens und macht ihn unauffälliger, denn es ist ja gerade die Kontur eines Schattens, die ins Auge springt. Kein Beobachter schenkt einem unförmigen Schatten Aufmerksamkeit, sehr wohl aber der am Boden nachgezeichneten menschlichen Silhouette. Besonders dann, wenn sie sich auch noch bewegt.

Soweit zum „Sehen und nicht gesehen werden". Befassen wir uns nun ein wenig mit dem

Hören und nicht gehört werden

Mit unseren Augen sehen wir von unserer Umwelt vergleichsweise wenig, und genauso ist es mit unseren Ohren. Und dennoch gibt es Tag und Nacht um uns eine Unzahl von Geräuschen. Probiere es einmal aus: Setze Dich hin und konzentriere Dich auf die Geräusche um dich, genauso wie du gelernt hast, scharf zu beobachten. Du wirst erstaunt sein, wie viele Geräusche da um dich sind, Geräusche, die du noch nie vernommen hast. Es ist, als wärst du bis jetzt taub gewesen.

Für den Scout ist ein scharf entwickelter Gehörsinn von vitaler Bedeutung. Es kann die Zeit kommen, wo du ein Geräusch verursachst und es bedeutet deinen Tod. Oder der Feind verursacht ein Geräusch und es bedeutet deine Rettung.

Die Sprache der Geräusche kann dir vielerlei erzählen, besonders nachts. Geräusche werden bei Nacht weiter getragen als bei Tag, daraus kannst du Nutzen ziehen und damit dein verringertes Sichtfeld kompensieren. Ein Blinder kann unwahrscheinlich viel von seiner Umgebung erzählen, weil sein Gehörsinn besonders entwickelt ist. Du hast es tausendmal besser, denn du verfügst über Seh- und Gehörsinn – du musst sie nur schulen.

Es gibt viele Stimmen, die dir bei Nacht etwas sagen wollen: Das Klirren von Panzerketten, die leise tiefe Stimme eines feindlichen Sicherungspostens (die man in einer ruhigen Nacht bis 300 m weit hören kann); das Klacken eines Pferdehufes, das „Poch!" einer Schuhspitze, die gegen einen Baum stößt; das Knacken, wenn ein Zweig zertreten wird; das helle Ladegeräusch einer Waffe; das Klicken, wenn ein Gewehrkolben gegen einen Stein stößt; das Schlafgeräusch eines feindlichen Soldaten; das Reiben einen Streichholzes; das Ausspucken; das helle Geräusch, wenn ein Spaten voll Erde aufgeworfen wird; das metallische Klingen, wenn der Lauf der Waffe gegen einen Beschlag der Rüstung stößt; das saugende Geräusch, wenn ein Fuß aus einem sumpfigen Boden gezogen wird; das Wischen des Grases an den Schuhen.

Das ist nur eine Auswahl. Wollte man alle Geräusche katalogisieren, müsste man Bände füllen. Man müsste die Geräusche von Tieren und Reptilien hinzunehmen, von Vögeln, Insekten und Käfern, die Geräusche von Wasser, Wind und Regen, von Bäumen, Sträuchern, Felsen, von allen Dingen auf der Erde und am Himmel. Aber all diese Geräusche können dir in der finsteren Nacht auch Bände erzählen. Du musst nur dein Ohr darauf einstellen. Mache es dir zur Regel: „Was deine Augen nicht sehen, müssen deine Ohren hören". Übe deine Ohren genauso wie du auch deine Augen übst und du wirst vom Feind rechtzeitig gewarnt werden. Du wirst erkennen, wie verräterisch das kleinste Geräusch sein kann und du wirst dich bemühen, selbst Geräusche zu vermeiden.

In einer ruhigen stillen Nacht wird auch das leiseste Geflüster noch sehr weit getragen, bestimmte Flüstertöne noch einige hundert Meter! Die Nacht mag

Titelbild der Broschüre „The Scout".

pechschwarz sein, deine Augen mögen nichts sehen, aber du vermagst alles zu hören.

Wind trägt Geräusche noch viel weiter. Also halte dein Ohr von Zeit zu Zeit an den Wind, je windiger es ist, desto schlechter sind nahe Geräusche zu hören, weil sie von den Windgeräuschen unterdrückt werden. In einer windigen Nacht kannst du dich daher dem Feind sehr weit nähern, ohne gehört zu werden. Aber er hat denselben Vorteil. Eine Regennacht verschluckt jedes Geräusch.

Erfasse die Bedeutung all dieser Dinge, von Licht, Schatten, Umriss, Form, Silhouette, Hintergrund, Sicht, Gehör, Schnelligkeit, Mut, Initiative und du wirst sehen, dass daraus der Scout hervorgeht, der immer durchkommt.

Freilich kann das Geräusch auch ein großer Betrüger sein. Aber mit etwas Geschick kann man sich auch diese Eigenschaft zunutze machen.

Ein australischer Scout war auf Grund seiner Erfolge unvorsichtig geworden. Er hatte die feindlichen Linien schon oft unbehelligt überschritten, das gab ihm Selbstvertrauen – leider etwas zu viel. Dornige Büsche, harter Boden, kleine Steine da und dort. Es war eine sternklare Nacht, er lag in einer seichten Senke und grinste über das ganze Gesicht: Er hatte einen türkischen Sicherungsposten entdeckt, der sich deutlich gegen den Horizont abhob. Es waren mehrere Soldaten und er war zuversichtlich, sie in der Dunkelheit umgehen zu können. Als er damit begann, stieß er mit dem Absatz gegen einen Stein. Es klang wie eine Kastagnette. Als er erstarrte, knieten die Türken nieder und schlugen ihre Gewehre an. Es folgte eine Minute atemloser Stille, dann erhoben sie sich und kamen in geöffneter Ordnung mit aufgepflanzten Bajonetten auf ihn zu. Der Australier sah die Bajonettspitzen im Mondlicht glänzen und die Haare standen ihm zu Berge.

Er griff hinter sich, nahm einen Stein auf und warf ihn vorsichtig nach links rückwärts. Er fiel in ein Gebüsch und verursachte dort ein Geräusch, das genauso klang wie wenn jemand im Davonlaufen daran gestreift wäre.

Die Türken liefen auf das Geräusch zu. Der Scout erhob sich und doppelt vorsichtig setzte er seinen Weg geräuschlos fort, an der Postenstellung vorbei und auf die türkischen Linien zu.

Seine Sorglosigkeit hatte ein Geräusch verursacht, das ihn verriet. Aber mit einem zweiten Geräusch täuschte er den Feind, lenkte ihn in eine falsche Richtung und konnte so seinen Auftrag weiter ausführen.

Man kann sich Geräusche auch in zahllosen anderen Arten zunutze machen. Denk darüber nach. Auch dir kann einmal ein Geräusch Hilfe und Rettung sein.

Aus: „The Scout", The Australian Guerilla Volume VI, Australien 1943

Olaf Hoppe

Spurenlesen

Combat Tracker Course

Vorbemerkung

Als Offizier der Bundeswehr war es meine Aufgabe, unsere in den Einsatz gehenden Kräfte so vorzubereiten, dass sie ihren Auftrag auch unter starker Sprengfallen-Bedrohung möglichst ohne Verluste durchführen konnten. In diesem Zusammenhang hört man immer wieder das Stichwort „Ground Sign Awareness" (GSA). Sowohl im Einsatz als auch in den verschiedenen internationalen Fachpublikationen taucht dieser Begriff auf. Kameraden aus anderen Nationen berichteten von den hohen Erfolgsquoten.

Doch wovon? Was ist GSA? Wie können wir Nutzen daraus ziehen und diesen einsetzen? Ein durch die European Defence Agency (EDA) einmalig angebotener dreiwöchiger Lehrgang mit der Bezeichnung: „Combat Tracker Instructor Course" wurde in Irland durchgeführt. Ich durfte diesen Lehrgang zusammen mit zwei weiteren Kameraden besuchen.

Wir wussten damals weder, was uns erwartete, noch, was unter dieser Bezeichnung zu verstehen sei.

Verfogung von Spuren im rhodesischen Buschkrieg...

Ground Sign Awareness

Eine einfache Beschreibung hierfür lautet: „Durch Lesen von Spuren Rückschlüsse auf menschliche Handlungen ziehen." Diese Fähigkeit wurde aus dem Wissen der Naturvölker, die auf Grund der Beobachtung ihres Jagdgebietes ihre Beute fanden, weiterentwickelt. Die nordamerikanischen Indianer nutzten diese Fähigkeit dann zur Verfolgung und zum Auffinden von menschlichen Gegnern.

Militärisch wurde es erstmals im Vietnamkonflikt durch die amerikanischen Streitkräfte genutzt. Man hatte erkannt, dass sämtliche technischen Aufklärungsmöglichkeiten im dichten Dschungel unbrauchbar waren. Kein Radarstrahl und keine Kamera durchdrang das Blätterdach.

Infolge des Kalten Krieges geriet das Auswerten von Bodenspuren wieder in den Hintergrund, wurde aber auf dem afrikanischen Kontinent in späterer Zeit erfolgreich angewendet. Besondere Fähigkeiten entwickelten hier die Südafrikaner.

... und im malayischen Guerillakrieg.

Erst im zweiten Irak- und insbesondere im Afghanistan-Konflikt wurde GSA durch das westliche Militär wieder entdeckt und hat sich seither als wirkungsvolles Mittel zum Schutz der eigenen Truppe und zur Verdichtung des Lagebildes bewährt.

Verschiedene Streitkräfte besitzen mittlerweile ganze Kompanien, die in der höchsten Stufe GSA ausgebildet sind und somit auch zur Gegnerverfolgung nur mit Hilfe der Bodenspuren eingesetzt werden können. Beispielsweise bilden verschiedene Streitkräfte pro Infanteriekompanie einen Ausbilder GSA lehrgangsgebunden aus, der dann in der Truppenausbildung seine Kompanie in GSA schult.

Beschreibung des Lehrgangs

Wir traten mit 25 Teilnehmern aus 7 Ländern zur Ausbildung im irischen Killdare an. Die Ausbildung gliederte sich in drei Abschnitte:

- Basiswissen über Spuren,

- Erkennen einer Sprengfallen-Verlegung,
- Auswerten von Spuren sowie das gefechtsmäßige Verfolgen der Spur bis zum Stellen des Gegners.

Basiswissen über Spuren

Im ersten Abschnitt, nach einer kurzen theoretischen Unterrichtung, ging es auf den Reitplatz in der Kaserne. Hier wurde uns bei optimalem Untergrund gezeigt, was man aus den von Menschen hinterlassenen Spuren lesen kann.

- Wie groß ist der Spurenleger (Verhältnis zur Schuhgröße)?
- Trug er schwere Last (spezielle Fußstellung, Tiefe des Eindrucks)?
- Welche Waffe trug er (Abdruck der Schulterstütze, Zweibein oder Rohrende)?
- Wie hat er sich verhalten (gegraben, sichernd, jemanden getroffen, gebetet)?
- In welche Richtung ist er gegangen?
- Hatte die Gruppe eine militärische Ausbildung (Flankensicherung, Sicherung nach hinten)?

Es folgte das Basiswissen über Spuren und die Schaffung einer einheitlichen Sprache. Nur so war es möglich, das Gesehene so zu beschreiben.

Spuren am Boden kann man mit den in den folgenden Fotos gezeigten Charakteristiken beschreiben:

Strukturveränderungen (disturbance).

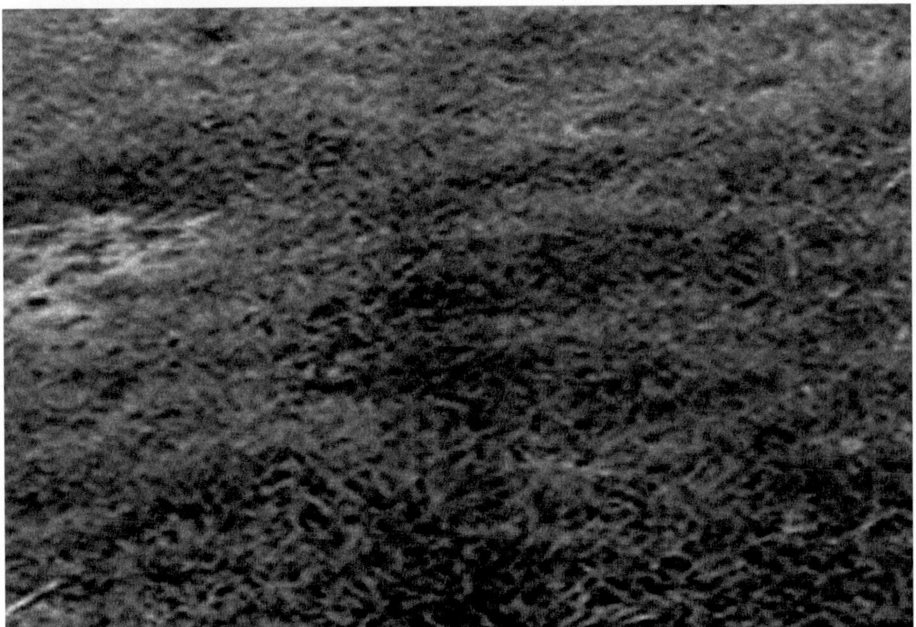

Farbveränderungen (colour change).

Vertiefungen/Abdrücke (flattening).

Fremdablagerungen (transfer).

Verunreinigungen (discardables).

Regelmäßigkeiten (regularity).

Stundenlang sind wir aus Versehen anschließend unserer eigenen Spur gefolgt. Zunächst in einem Gelände, in dem Spuren deutlich erkennbar waren, dann aber wurde der Untergrund immer anspruchsvoller. Immer wieder wollte der Ausbilder erläutert bekommen, auf Grund welchen Spurencharakters die Spur gelesen werden könne und wo der linke Fuß und wo der rechte zu erkennen sei.

Nach anfänglicher Skepsis zeigte sich schnell, dass tatsächlich die Spur deutlich dort war, wo wir vor einer Woche noch nichts erkannt hätten. Auch lernten wir das Alter einer Spur zu erkennen. Wir legten einen „Spurengarten" an und notierten täglich die Veränderung und die Wetterbedingungen. Reste eines Feuers, Zwiebeln, Reis, Bruchstellen von Ästen, aufgegrabene Erde und vieles mehr wurde ausgewertet. Dies ist immer wieder und in jedem Einsatzraum neu durchzuführen, da das örtliche Wetter, aber auch die Aktivitäten (beispielsweise der Ameisen) anders sind.

Sprengfallen und ihre Erscheinungsbilder

Im zweiten Abschnitt folgte eine Einweisung in die gegnerischen Taktiken zur Verlegung von Sprengfallen und deren Erscheinungsbilder.

Nachmittags wurden wir in Zweierteams aufgeteilt und sollten als Insurgents

selbst Sprengfallen verlegen. Man zeigte uns den Raum und wir konnten diesen bei Tageslicht erkunden. In der folgenden Nacht traten wir dann mit Hacke und Spaten zur Anschlagsvorbereitung an. Man gab uns eine Stunde Zeit und setzte eine generische Streife zur Abwehr der Verlegung ein. Jeder von uns wusste, worauf wir als Aufklärer am Folgetag achten müssten, und wir versuchten alles, um diese Spuren zu vermeiden.

Die Ausbildung „Sprengfallen-Aufklärung" am nächsten Vormittag zeigte aber, dass Spuren grundsätzlich vorhanden sind. Jede Sprengfalle wurde aufgeklärt. Oftmals konnte selbst die Art der Sprengfalle bestimmt werden, ohne dass sie ausgegraben werden musste.

Combat Tracker

Im dritten Ausbildungsabschnitt folgte die eigentliche Ausbildung zum Combat Tracker. Im Mittelpunkt standen das taktische Vorgehen im Trackerteam und die Verfahren zum Wiederauffinden einer verlorenen Spur.

Kilometer um Kilometer sind wir so irischen Soldaten gefolgt, die wir erst am Ende des Tages zu Gesicht bekamen. Wir mussten Nachtlager des Gegners finden und auswerten, das Treffen mit anderen Gruppen erkennen und die Ausrüstung der Verfolgten aufklären.

Die Ausbildung mündete in einer Übung von 36 Stunden Dauer:

Als sechsköpfiges Trackerteam wurden wir frühmorgens alarmiert und in einem Briefing in Lage und Auftrag eingewiesen: Auf einer Hauptversorgungsroute hatte es in der Nacht einen Sprenstoffanschlag (IED = Improvised Explosive Device) gegeben. Der Raum war bereits durch eigene Kräfte gesichert und die Anschlagstelle durch einen EOD-Trupp (Explosive Ordnance Disposal) überprüft worden. Wir

sollten nähere Informationen über den Gegner liefern:
- Wie stark war die gegnerische Gruppierung während der Verlegung?
- Aus welcher Richtung kamen sie?
- In welche Richtung sind sie ausgewichen?
- Wurde mit einem Spotter (Beobachter) gearbeitet?
- Wo war die Stellung es Triggermanns (Auslöser)?
- Waren die Täter zivil oder militärisch?
- Welche Waffen wurden verwendet?
- Wurde einer der Gegner im anschließenden Feuergefecht verwundet?

Am Anschlagsort angekommen, konnten wir ein klares Bild aus den Spuren erkennen. Der Gegner war in Gruppenstärke aus Nordosten kommend, direkt zu einem Waffenversteck (Kunststofffass im Boden vergraben) gegangen, hatte einen Spotter südlich eingesetzt und eine Stellung im Nordosten genutzt.

Die Gruppe war mit Sturmgewehren (Patronenhülsen) und Spezialmunition (gefundener Hohlladungsblindgänger) bewaffnet. Eine Person wurde in der Stellung verwundet und blutete stark. Seine Erstversorgung fand 50m hinter der Stellung in einer Senke statt. Es wurde amerikanisches Verbandmaterial verwendet. Der Verwundete konnte selbst gehen. Keine Spur zeigte Anzeichen des Tragens einer

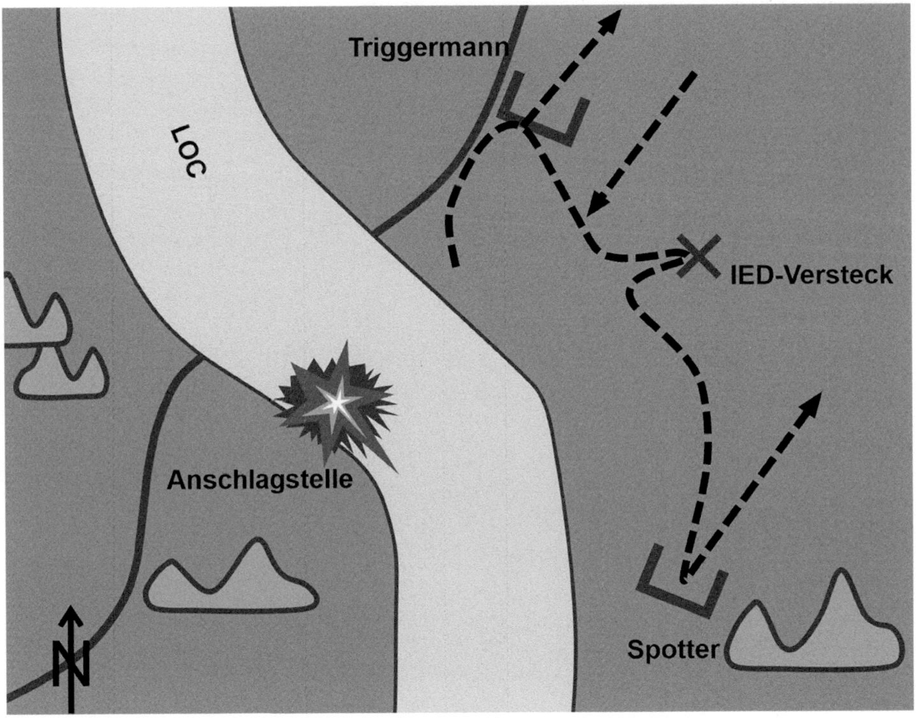

schweren Last. Die Ausweichspur zeigte Richtung Nordosten.

Nach Meldung der Aufklärungsergebnisse per Funk bekamen wir umgehend den Befehl, der Ausweichspur zu folgen und die Herkunft der gegnerischen Gruppe festzustellen. Falls möglich, sollte der Gegner abgefangen und festgesetzt werden. Zu unserer Unterstützung wurde ein Infanteriezug befohlen, der uns in einem Abstand von etwa 1000 m folgte.

Auf Grund der einsetzenden Dunkelheit musste die Verfolgung unterbrochen werden. Die Spur war kaum noch erkennbar.

Am nächsten Morgen fanden wir nach ca. zwei Stunden das gegnerische Nachtlager. Man hatte keine Sicherung eingesetzt, ahnte also nicht, dass man verfolgt wurde. Blutgetränktes Verbandmaterial und Verpackungsmaterial einer Venenverweilkanüle zeigten, dass es dem Verwundeten deutlich schlechter gehen musste. Zwei frische, etwa oberarmdicke Äste waren abgeschlagen worden. Offenbar hatte man eine Trage gebaut. Dies verlangsamte die Marschgeschwindigkeit der Gruppe und die Spuren wurden deutlicher.

So hatten wir am frühen Nachmittag erstmals Sichtkontakt. Kurz vor Sonnenuntergang führten wir den Infanteriezug nah an die rastende Gruppe heran. Der völlig überraschte Gegner konnte schließlich festgesetzt werden.

Schlussbetrachtung

Wir hatten nicht erwartet, dass so etwas wie Spurenlesen in dieser detaillierten Form wirklich funktioniert. Alle Lehrgangsteilnehmer zeigten sich überzeugt und stolz, die Fähigkeit des Lesens von Spuren in nur drei Wochen erlernt zu haben. Die Ausbilder warnten uns, dass ab jetzt ein einfaches Spazierengehen nicht mehr möglich sei. Und sie haben Recht behalten: Spuren sind überall zu lesen – wie ein offenes Buch!

Dieser Artikel erschien in der online-Zeitschrift der Bundeswehr „Aus dem Einsatz lernen" (Einsatzauswertung im Deutschen Heer). Wir drucken ihn mit freundlicher Erlaubnis des Presse- und Informationszentrum des Heeres in Strausberg vom 17. Oktober 2017 und mit Unterstützung des Autors, Hauptman Olaf Hoppe, nach.

Hans Edelmaier

Spähtruppmythen

Spähtrupp erfolgreich zu gehen ist eine Geheimwissenschaft, weil es nur wenige erfahrene Spähtruppgeher gibt. Aber als Gerüst haben sich Regeln herausgebildet, die man weitergibt und die im Großen und Ganzen auch gescheit sind.

Aber es gibt auch Regeln, die kritiklos nachgebetet werden, obwohl man dabei das flaue Gefühl nicht los wird, dass sie vielleicht nicht in die Kategorie der ganz schlauen Aussagen gehören. Das wäre an sich noch kein Malheur. Das Problem beginnt erst, wenn das Militär unerschütterlich gewillt ist, Vorschriften als unumstößliche Weisheiten zu sehen, die schlicht und einfach richtig zu sein haben.

Warum eine militärische Vorschrift etwas genau so und nicht anders sagt, liegt häufig im Dunkeln und erschließt sich dem Interessierten auch durch noch so engagierte Beleuchtungsversuche nicht.

Dazu wollen wir in der Folge drei überlieferte Grundsätze des Spähtrupphandwerks einmal näher betrachten. Nicht dass man deren Bedeutung überschätzen sollte. Es mag gewichtigere Problemfelder geben, die von militärischen Vorschriften unzutreffend erfasst werden und die würdiger wären, die Aufmerksam des Kritikers auf sich zu ziehen. Aber just auf dem Spähtruppsektor finden sich Behauptungen oder schlimmer noch: Festlegungen, die Generationen von Vorschriftenkommissionen kritiklos abgeschrieben und weitergereicht haben, ohne ihren Sinn zu erkennen. Darum wollen wir drei dieser ewig repetierten Bauernregeln des Spähtrupphandwerks einmal kritisch durchleuchten.

Aufklärung ist immer auch mit Erkundung verbunden!

So stand es in der alten AVI „Die Schützengruppe" von 1960 unter der RNr. 38 zu lesen. Als man 1994, also knapp 35 Jahre später, ein Merkblatt für Spähtrupps der Aufklärungstruppe erlassen hat, findet sich dieser Satz in der dortigen RNr. 4 immer noch: „Die Erkundung ist untrennbarer Bestandteil der Aufklärung. Spähtrupps haben ohne weiteren Auftrag immer auch Erkundung zu betreiben".

Natürlich erkundet ein Spähtrupp im Zuge seiner Orientierungsarbeit, wenn man die Sache eng auslegen will. Aber wem nützt das außer ihm selber? Oder will man tatsächlich von ihm verlangen, dass er jeden Hain, den er passiert, auf Panzergängigkeit prüft, bei jedem Tümpel nach einer Furt sucht und in jeder Schneise die Sichtbarkeitsstrecke beurteilt?

Natürlich werden auch Erkundungsspähtrupps eingesetzt und jeder Spähtrupp kann Erkundung auch als Zusatzauftrag erhalten. Aber warum und zu welchem Nutzen Aufklärung immer mit Erkundung verbunden sein soll, war mir schleierhaft. Und nachdem ich nie jemand getroffen habe, der es mir hätte erklären können, habe ich jenen Mann gefragt, der das seinerzeit in die Vorschrift hineingeschrieben hat: Den pensionierten General Erwin Jetzl, jenen Mann, die die ersten Ausbildungsvorschriften des Bundesheeres von der AGD über ASA bis zur AVI in Alleinregie verfasst hat und deren Qualität von jüngeren Bemühungen bislang noch nicht wieder erreicht worden ist.

Seine Antwort lautete folgendermaßen (in einem Gespräch im Jahre 1991):

General Erwin Jetzl.

„Seinerzeit im Weltkrieg gab es kaum Kartenmaterial. Der Bataillonsstab hatte eine, die Kompanie nicht mehr. Man arbeitete mit sorgfältig angelegten Skizzen. Man wusste über den eigenen Stellungsraum Bescheid, die topographische Situation im Vorfeld war aber weitgehend unbekannt. Und immer, wenn ein Spähtrupp hinausging, hat man den nach seiner Rückkehr nicht nur zum Feind, sondern mehr noch zu den Geländeverhältnissen genauestens befragt. Erst so ergab sich eine Vorstellung über die Beschaffenheit des Geländes vor der HKL (Hauptkampflinie). Und darum habe ich in den Vorschriften festgelegt, dass Aufklärung immer und automatisch mit Erkundung verbunden zu sein hat."

Die Situation am Kartensektor war damals auch im Bundesheer trist. Das ist längst vorbei, Karten sind heute Massenware und überdies von hoher Genauigkeit. Schon lange muss ein Spähtrupp nicht mehr erkunden, um seinem Kommandanten ein Bild über das Gelände zu vermitteln. Dieser Grundsatz hat sich längst überholt und gehört schon seit Generationen ersatzlos gestrichen.

Ein Spähtrupp nimmt nie denselben Weg zurück!

Diese These (in der Randnummer 243 der DVBH „Die Jägergruppe" von 1993 festgelegt, dort allerdings mit der Phrase „in der Regel" abgeschwächt) hat was für sich, als allgemeingültige Regel ist sie aber sehr mit Vorsicht zu genießen.

Es beginnt schon einmal damit, dass die meisten Spähtrupps doch denselben Weg zurücknehmen. Warum? Einmal, weil es näher ist und man daher schneller und kraftsparender zurückkommt. Zum anderen, weil man dadurch die Orientierungsarbeit halbiert und damit auch die Chance, sich zu verlaufen. Vielleicht lassen diese Argumente aufklärerisches Niveau vermissen, aber in der Praxis sieht es eben so aus. Überzeugend ist aber folgendes Argument: Wenn man denselben Weg zurück nimmt, dann ist man zumindest halbwegs sicher, nicht mehr auf Feind zu stoßen, sonst wäre das schon am Hinweg passiert.

Wie kommt es dann zum zuvor genannten Grundsatz, ein Spähtrupp nehme tunlichst retour einen anderen Weg? Weil – so die mündliche Überlieferung – der Feind, dem ein Spähtrupp durchschlüpft, ihm den Rückweg abschneidet und einen Hinterhalt legt!

Das tut aber in der Praxis kaum eine reguläre Truppe im konventionellen Gefecht, weil sie dazu weder Zeit hat noch Lust verspürt, sich mit einem unbedeutenden Fußspähtrupp herumzuschlagen. Da ruft man besser einen Stützpunkt in der Tiefe an, der das Problem beseitigt.

Es passiert aber sehr wohl im Guerillakrieg, wo die Bevölkerung die Guerillas über jede noch so geringfügige Bewegung der Regulären informiert und der Spähtrupp stets unberechenbar bleiben muss. Oder aber dort, wo es nur wenige Bewegungslinien gibt, sodass der Spähtrupp gezwungen ist, denselben Weg zurück zu nehmen. Im dichten Dschungel etwa, wo ein Pfad erst mit Macheten durch das Gestrüpp gehauen werden muss und man sich diese Schinderei am Rückmarsch ersparen will. Oder als Schispähtrupp im unverspurten winterlichen Gelände, wo der Feind mit großer Sicherheit die Spur des Spähtrupps entdeckt und sich auf die Lauer legt. Ersteres haben Ende der Fünfzigerjahre Fremdenlegionäre aus Indochina mitgebracht (gar nicht so wenige Österreicher sind nach dem Krieg in die Legion gegangen), Letzteres wussten die Angehörigen jener Gebirgsdivisionen zu berichten, die im Weltkrieg am Eismeer und in Finnland gekämpft haben.

Wenn von Spähtrupps verlangt wurde, nicht denselben Weg zurückzunehmen, dann mag auch das Trachten nach einer engmaschigeren Überwachung des Wegenetzes dahinter stecken. Das meint eine taktisch dichtere Überwachung und hat mit den Grundsätzen eines Spähtrupps nur sehr am Rande zu tun.

Dass ein Spähtrupp immer, überall und grundsätzlich einen anderen Weg zurückzunehmen hat, ist in kategorischer Aussage jedenfalls falsch. Es kann eine gute Idee sein, muss es aber nicht.

Meldelinien und Meldepunkte

In der DVBH „Die Jägergruppe" haben sich (Ausgabe 1993) in der Randnummer 223 Meldelinien und Meldepunkte eingeschlichen. An ihnen (sowie außerdem zu festgelegten Meldezeiten) hat der Spähtruppkommandant immer das aktuelle Aufklärungsergebnis zu melden. Früher kannte man das in den österreichischen Vorschriften nicht. Warum ist es dann dort hineingekommen?

Man könnte meinen, dass das eben entscheidende Geländepunkte sind, von denen der Kommandant, der den Spähtrupp ansetzt, genau wissen will, ob Feind dort ist oder nicht. Dagegen spricht, dass so etwas ja mit der Festlegung als (eines von mehreren) Aufklärungsziel(en) ohnedies klar geregelt und befohlen ist. Aber nach dem Motto „nutzt´s nix, so schadt´s nix" lässt man es eben stehen und so genau wird es schon keiner wissen wollen.

Es ist aber doch bemerkenswert, dass das Meldeverfahren für Spähtrupps nach „Meldelinien" und „Meldepunkten" aus dem Aufklärungsverfahren der ehemaligen Sowjettruppen stammt. Im „Angriffsverfahren Ost" standen sie unter erheblichem Zeitdruck, weil ihr Angriff sehr schematisch und stur sowie in einem eng begrenzten und unflexiblen Zeitrahmen ablief. Nach einem ersten Abtasten des feindlichen VRV am Morgen des Vortages vor dem Angriff durch Gefechtsfeldradar und Divisionsaufklärer fuhren schwere Radaufklärer auf Spähpanzern die geplanten Annäherungslinien vor und in der folgenden Nacht wurde dasselbe mit den Kommandanten der angreifenden Verbände wiederholt, um sie in ihre

Fremdenlegionäre arbeiten sich im Dschungel Idochinas durchs Gestrüpp.

Sowjetische Radspähpanzer (BRDM-2) fühlen gegen ein Gewässer vor. Quelle: Voennyji Vestik.

Angriffsstreifen einzuweisen.

Das Vorfühlen der schweren Radaufklärer konnte natürlich nicht mit der feinen Klinge des Aufklärerhandwerks geführt werden, weil dazu die Zeit fehlte. Also fuhren sie vor, bis es knallte, dann wusste man genau, wo der Feind saß. Allerdings konnten die, die ins Feindfeuer geraten waren, darüber nichts mehr berichten. Und daher legte der Kommandant Meldelinien fest. Wenn er von seinem Spähtrupp nichts mehr hörte, dann war das Gelände jedenfalls bis zur Meldelinie oder dem Meldepunkt, an der/dem sich der Spähtrupp letztmalig gemeldet hatte, feindfrei.

Das ist ein ganz wirkungsvolles Verfahren, bei dem man in kurzer Zeit jene Feindstellungen herausfand, die mit Panzerabwehrwaffen bestückt waren und die einen mechanisierten Angriff daher gefährlich werden konnten. Es ist aber auch ein menschenverachtendes Aufklärungsverfahren, in dem der Spähtrupp sehenden Auges geopfert wird. Der Nachschub an „Helden der Sowjetunion" blieb so gesichert.

Aber ob wir solche oder auch nur abgeschwächte Aufklärungsverfahren übernehmen sollen, will mir zweifelhaft erscheinen. Die Beurteilung kann aber nur jemand vornehmen, der sich beim Warum und Wieso auskennt und nicht einer, dessen Horizont bei der Randnummer endet und der glaubt, mit bloßer Vorschriftenkenntnis wisse er auch schon Bescheid.

Resümee

Geschlossen seien diese Zeilen mit einer Warnung an alle Dogmatiker in Uniform: „Dogmen und Gebote (und Randnummern) sind Laternen auf unserem Weg; aber nur Betrunkene halten sich dran fest!"

Frederick Russel Burnham

Einsamer Späher am Pecacho Peak

Ein Nachwort

Zwei mit Gewehren bewaffnete Apachenkrieger an einem Tümpel im Apachenland.

Vor einigen Jahren habe ich den Brief eines jungen Pfadfinders aus den Oststaaten erhalten. Darin schrieb er, er versuche seit zwei Jahren, in den Westen zu kommen und mich zu treffen, um alles über die Arbeit des Scout zu lernen. Er käme jetzt zwei Tage nach Los Angeles und wolle sich mit mir treffen. Könne ich für ihn zwei Tage erübrigen? Ich schrieb zurück: „Come on!"

Aber der Brief machte mich nachdenklich: Wenn sich jemand für Musik interessiert, kann er dann in zwei Tagen alles über Klavierspielen lernen? Aber ich wollte den jungen Mann nicht brüskieren, denn wir Oldtimers haben der Jugend lange genug eingeredet, dass es ganz einfach wäre, alles zu bekommen, was man möchte. In unserer schnelllebigen Zeit ist es Mode geworden, komplexe Sachverhalte auf wenige Schlagworte zu reduzieren. Vierzig Minuten Unterricht über Brückenbauen; ein sechswöchiger Fernlehrkurs über Medizin oder Technik. Diese Kurzlehrgänge zur Erlangung von Wissen, Ruhm oder Reichtum erfreuen sich großer Beliebtheit. Sie eignen sich gut als Stimulans – aber um wirklich eine Fertigkeit zu erwerben, führt kein Weg an mühevollem und beständigem Streben vorbei und nur diese Mühe und Ausdauer macht den Erwerb von Fertigkeiten hinterher so wertvoll.

Ich habe oft die Behauptung gehört, ein Scout führe ein abenteuerliches und aufregendes Leben. Es wäre ihm kaum möglich, sich in eine bürgerliche Existenz hineinzufinden. Aber die Antwort lautet: Der größte Feind des Scout ist die Eintönigkeit, und zwar dieselbe, die dem Soldaten auf Brückenwache oder dem Leuchtturmwächter auf der einsamen Felseninsel im Meer zusetzt und einnicken lässt. Eintönigkeit ist die sanfte Form von Ausdauer. Ausdauer ist der hart trainierte Muskel des Willens. Und die geduldige Ausdauer des Indianerscouts war eine ebenso wirkungsvolle Waffe wie die polierte Spitze seines Pfeils und dazu möchte ich die folgende Geschichte erzählen:

Als die Siedlertreks nach Kaliformien zogen, kam eine Wagenkolonne aus Texas und die darin ziehenden Familien waren abgehärtete Frontier-Leute, erfahren in langen Kämpfen mit Comanchen und Mexikanern. Der Trek durchquerte das Apachenland mit großer Vorsicht, mit Spähern Meilen voraus und die Rinderherde stets eng zusammenhaltend und bewachend. Erst als sie die friedliche alte Pueblo-Stadt Tucson erreichten, konnten sie sich wieder entspannen und den dringend benötigten Schlaf nachholen.

Im Norden und Osten ragten die blauen Berge des Pinal auf. Näher lagen die Catalinas, das alte Rückzugsgebiet der Apachen. Aber westlich von Tucson kontrollierten die freundlichen und wachsamen Pimas, Papagos und Maricopas die Prärie und die Vorberge bis zu den Pässen der Sierra Madre. Den schlimmsten Teil der langen und gefährlichen Wegstrecke schien der Trek hinter sich zu haben. Die Bewohner des Pueblo von Tucson waren freundlich und fröhlich und das Tal des Santa Cruz war voll saftiger Weide, daher wurde die Weiterfahrt zweimal verschoben. Ein letzter, anstrengender Zug durch das Sandmeer stand noch bevor, ehe man im herrlichen Kalifornien am Ziel war.

Eine Siedlerfamilie auf dem Weg nach Westen.

Die Apachen hatten den Trek die ganze Zeit über beobachtet, aber die Pioniere waren zu aufmerksam und zu gut bewaffnet, als dass sie einen Überfall hätten wagen können. Doch am San Pedro Fluss hinter den Catalinas sammelten die Apachenhäuptlinge ihre Krieger. Ein alter Apache hat mir erzählt, wie die Apachenspäher den Pueblo getreulich unter Beobachtung gehalten und täglich Meldung über Signale weitergegeben hätten. Aber um ganz sicher zu gehen und verlässlich zu erfahren, wann der Trek Tucson verließ, wählte der Häuptling einen Späher aus und erteilte ihm folgenden Auftrag:

„Nach einem Tagesmarsch von Tucson gegen Sonnenuntergang steht der ‚Dorn im Himmel' – ein Berg, den der weiße Mann Pecacho nennt. Er ist sehr steil und sehr trocken. Nahe seiner Spitze ist ein Riss im Fels und dort kannst du jeden Tag einige Tropfen Wasser finden. Die (ansässigen) Pimas kennen diesen Beobachtungsposten nicht, denn in meiner Jugend musste ich sie von dort beobachten, als wir Tucson überfielen. Mit einem Spiegel kannst du unseren Spähern am Rücken der Catalinas morgens Signale blinken. Sollte der Spiegel versagen, geben wir am Tag Rauchsignale und bei Nacht Feuerzeichen mit getrocknetem Kaktus. Du darfst das kleine Grüngrasfeuer und Feuer mit trockenen Zweigen nur verwenden, wenn es notwendig ist. Huste nicht, erschrecke keine Vögel und stoße

Apachenhäuptling Geronimo und sein Sohn Natchez mit dreiundzwanzig Apachenkriegern und vier Frauen in der Sierra Madre im März 1886.

an kein Gebüsch. Du weißt, wie du unter deiner Decke ein kleines Feuer machst, denn es ist nachts sehr kalt am Berg. Du darfst kein Gewehr mitnehmen, weil du mit Pfeil und Bogen besser umgehen kannst. Meine Squaw im Lager am Fluss wird dir gebackenen Mescal, getrocknetes Fleisch und etwas Pinoche mitgeben, das wir beim letzten Überfall auf Sonora von den Mexikanern erbeutet haben. Hinterlasse keine Spuren. Hier hast du Pima-Schuhe. Benütze sie, denn die Pimas haben Augen im Kopf."

Der junge Apachenspäher marschierte dreißig Meilen durch feindliches Land, kletterte auf den hohen Berg und fand den Felsspalt, so wie es ihm der Häuptling beschrieben hatte. Dann began die lange Wache. Jeden Morgen blinkte er mit dem Spiegel zu den Beobachtern am Catalinas-Rücken und jeden Abend blinkten diese zurück: „Bleib weiter da!" Tage vergingen, es wurden Wochen. Die Verpflegung war nahezu aufgezehrt. Am einundzwanzigsten Tag blinkte er: „Großes Lager in der Nähe!" Der schlaue Häuptling führte seine Krieger in die flache Wüste westlich des Pecacho hinaus, das so weit das Auge reichte nur spärlich von Creosote-Büschen bestanden war. In einem der flachen und nahezu unmerklichen ausgetrockneten Wasserläufe, die so eng waren, dass ein Pferd sie mit Leichtigkeit überspringen konnte, legten sie sich auf die Lauer.

Die Texaner schickten aus Gewohnheit ein paar berittene Späher etwa eine Meile den Wagenspuren entlang voraus, um das Gelände zu erkunden. Es fand sich kein Zeichen der Anwesenheit von Indianern und die Späher wurden nicht belästigt. Ein langer und beschwerlicher Tag lag vor den Trekkern. Und in diesem

Ein nicht näher bekannter Apachenkrieger.

offenbar friedlichen Land wurden sogar die Texaner unaufmerksam. Einzelne Wagen und Rinder begannen aus der Kolonne auszustreunen. Völlig unvorbereitet marschierten sie geradewegs in den Hinterhalt. Die vorausgeschickten Reiter sprengten zurück, um zu helfen und die Nachhut schloss in Galopp auf. Aber das konnte sie nicht mehr retten. Die ganze Karawane – Männer, Frauen und Kinder – wurde getötet. Die Wagen wurden angezündet und das Vieh den San Pedro Fluss hinauf getrieben und in den Catalinas versteckt.

Die Apachen greifen niemals dort an, wo man damit rechnet. Ihr Motto lautet: „Mach nichts, was der weiße Mann erwartet!" Und das unausgesprochene Gesetz des Apachenscout lautet: Geduldige Ausdauer und ausdauernde Geduld!

Sehen bei Dunkelheit

Einführungsunterricht

Einleitung

Richtiges Verhalten bei Nacht ist für Spähtrupps bedeutsam. Dazu ist das Verständnis dafür Voraussetzung, was das menschliche Auge zu leisten vermag und was nicht.

- Die Dunkelheit erschwert nicht nur den Kampf, sie erleichtert ihn auch: Man sieht den Gegner zwar nicht, wird aber auch selbst nicht gesehen.
- In der Dunkelheit behält der die Oberhand, der besser an sie gewöhnt ist.
- Augenscheinlichste Besonderheit ist die enorm reduzierte Sehleistung.

Materialbedarf

1 Verdunkelung für Lehrsaal, falls nicht vorhanden
2 Zwei Heerestaschenlampen mit grünem Filter. Die Taschenlampen werden mit Isolierband so verklebt, dass nur je eine 3 x 3 Millimeter große Öffnung verbleibt, durch die das Grünlicht dringen kann.
3 Taschenlampe weiß.
4 MG Scheibe C.
5 Tageslichtprojektor mit vorbereiteten Folien.
6 Pro Teilnehmer eine Heerestaschenlampe oder sonstige Lichtquelle mit Rotfilter.
7 Felddecke.

Aufbau

Die MG-Scheibe C wird senkrecht aufgestellt und mit einer Felddecke verhängt. Darauf werden die beiden Heerestaschenlampen mit grünen Lichtpunkten im Abstand von ca einem halben Meter aufgehängt. Der Tageslichtprojektor mit Leinwand ist vorbereitet.

MG-Scheibe C. Sie ist in den Farben blau (Himmel), hellgrün (Gelände), dunkelgrün (Bäume und Buschwerk) und gelb gehalten.

Verhängte MG-Scheibe C mit zwei Taschenlampen als Lichtpunkte.

1. Einstieg ins Problem: Sieben Lehrversuche

Erster Versuch:
Aufbau: Keiner.
Ablauf: Die Teilnehmer sitzen im erleuchteten, aber nach außen völlig abgedunkelten Lehrsaal. Das Licht wird abgeschaltet:
Erfahrung: Man sieht vorerst überhaupt nichts, erst allmählich lassen sich Einzelheiten erkennen.
Erste Erkenntnis: Es dauert etwa 20 Minuten, bis sich das Auge an die Dunkelheit gewöhnt hat!

Zweiter Versuch:
Aufbau: Die beiden Taschenlampen mit Grünfilter werden eingeschaltet, sodass sie zwei kleine Lichtpunkte bilden. (Der Grünfilter ist nötig, weil Weißlicht allzu sehr blendet). Sie sind ca 50 cm von einander entfernt aufgehängt. Der Abstand richtet sich nach der Anzahl der Teilnehmer: Jeder soll beide Lichtpunkte bequem im Blickfeld eines Auges haben.
Ablauf: „Schließen Sie ein Auge und decken Sie es zusätzlich mit einer Hand ab. Mit dem offenen Auge sehen Sie einen der beiden Lichtpunkte scharf an!"
Erfahrung: Der betrachtete Lichtpunkt ist kaum oder gar nicht zu sehen, der daneben liegende nicht be-trachtete Lichtpunkt hingegen sehr gut!
Zweite Erkenntnis: Bei Dunkelheit sieht das menschliche Auge in genauer Verlängerung der Augenachse schlechter als eine Handbreite daneben!

Dritter Versuch:
Aufbau: Eine der beiden Taschenlampen wird abgeschaltet.
Ablauf: „Schließen Sie ein Auge und sehen Sie mit dem anderen den Lichtpunkt scharf an. Stützen Sie die Arme auf und halten Sie sich mit einer Hand das Auge zu. Stellen Sie sich jetzt vor, Sie müssten ein Kreuz durch den Lichtpunkt zeichnen. Fixieren Sie ihn mit dem Auge!"
Erfahrung: Der Lichtpunkt scheint sich zu bewegen.
Dritte Erkenntnis: Je schärfer und länger in der Dunkelheit ein feststehendes Ziel betrachtet wird, umso mehr wird der Anschein erweckt, dass es sich bewegt!

Vierter Versuch:
Aufbau: Die vorbereitete, aber bis jetzt mit einer Felddecke verhängte MG-Scheibe C wird freigemacht.
Ablauf: Der Ausbilder lässt durch eine Taschenlampe mit Weißlicht die MG-Scheibe allmählich erkennbar werden, bis die gelbe Mittelfläche zu sehen ist.
Erfahrung: Die weißen Kästchen mit den Figurensilhouetten und die hellgrünen Flächen sind sofort zu erkennen.
Vierte Erkenntnis: In der Dämmerung sind weiße und helle Flächen am besten zu erkennen!

Fünfter Versuch:
Aufbau: Wie zuvor MG-Scheibe C.
Ablauf: „Was glauben Sie ist hier im linken Teil des Bildes zu sehen?"
Erfahrung: Die Pyramiden der Nadelbäume sind nicht zu unterscheiden.
Fünfte Erkenntnis: Bei Dunkelheit sind Einzelheiten nicht zu erkennen!

Sechster Versuch:
Aufbau: Wie zuvor MG-Scheibe C.
Ablauf: „Sehen Sie sich jetzt den Kugelbaum im Bildmittelgrund an!" Der Ausbilder beleuchtet die Scheibe mit unterschiedlicher Helligkeit
Erfahrung: Je dunkler es wird, desto größer erscheint der Baum.
Sechste Erkenntnis: Bei Dunkelheit erscheinen einzeln stehende Gegenstände größer als bei Tag!

Siebenter Versuch:
Aufbau: Wie zuvor MG-Scheibe C.
Ablauf: „Betrachten Sie jetzt das ganze Bild!“ Der Ausbilder beleuchtet die MG-Scheibe mit wechselnder Leuchtstärke und schaltet dann das Licht im Lehrsaal an.
Erfahrung: Einzelheiten sind auf dem Bild nur als hell-dunkel-Kontraste wahrzunehmen. Farben sind erst bei voller Beleuchtung erkennbar.

2. Theoretische Grundlagen

1. Das menschliche Auge ist nahezu kugelförmig und gleicht in Aufbau und Wirkungsweise einem Fotoapparat.
   Seine äußere Hülle wird von einer festen weißen Lederhaut gebildet. Der vordere Teil ist durchsichtig und heißt Hornhaut.
   An die Lederhaut schließt sich die Aderhaut mit den das Auge nährenden Blutgefäßen an. Sie geht hinter der Hornhaut in die Regenbogenhaut (Iris) über. In ihrer Mitte befindet sich eine Pupille, eine als Blende dienende Öffnung veränderlicher Größe.

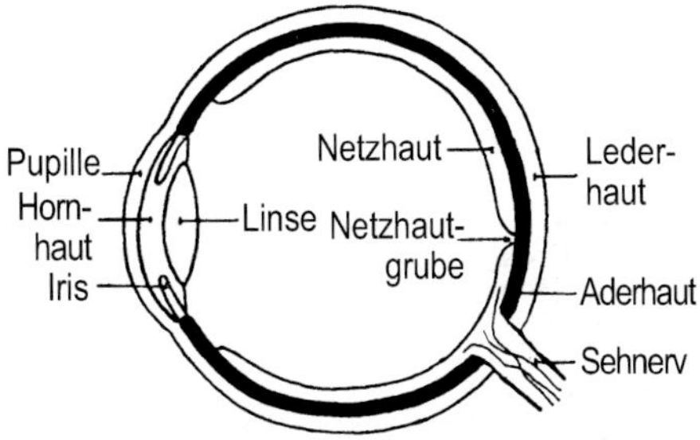

Im Auge innerhalb der Aderhaut liegt die Netzhaut, in der die Verzweigungen des Sehnervs enden und in der die Sinneszellen in Form von Stäbchen und Zäpfchen liegen. Die Netzhautgrube wird auch „gelber Fleck“ genannt. Die Verbindungslinie zwischen gelbem Fleck und Netzhautgrube heißt „Augenachse“.

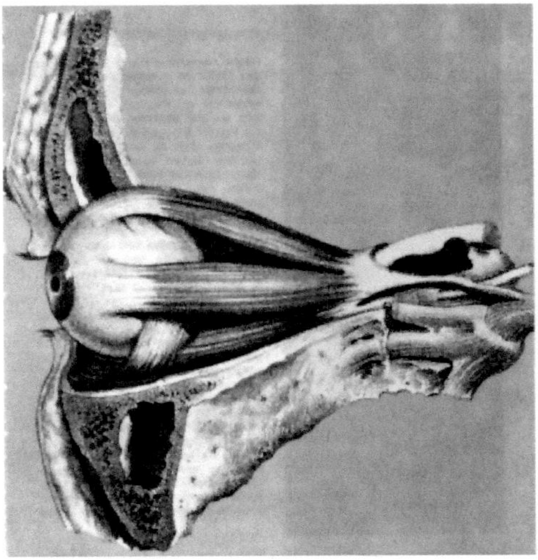

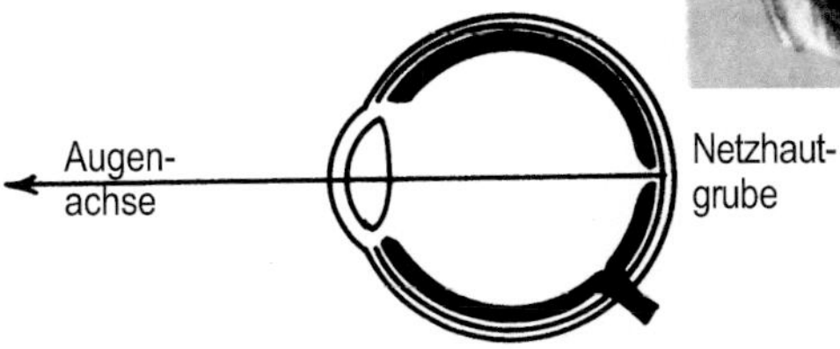

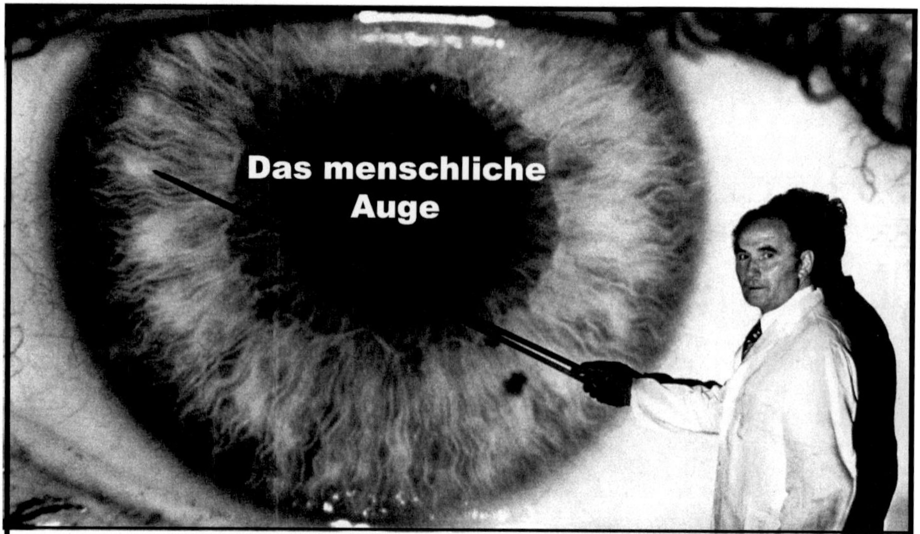

2. Bei Tag sehen wir mit den Zäpfchen in der Netzhautgrube, die auch das Farbsehen bewirken. In der Dämmerung schalten diese Zäpfchen ab. Dann bilden die um die Zäpfchen herum liegenden Stäbchen einen „Sehpurpur", mit dem wir jetzt sehen können. Mit diesem Sehpurpur sind aber keine Farben zu unterscheiden. Diesen Vorgang konnten wir im letzten Versuch beobachten: Dabei haben wir festgestellt, dass ab einem bestimmten Grad der Dunkelheit keine Farben mehr, sondern nur noch Grautöne zu erkennen sind. Daher auch das Sprichwort „bei Nacht sind alle Katzen grau" oder die Vorstellung von Gespenstern, die niemals farbig, sondern immer nur weiß oder schwarz sind.

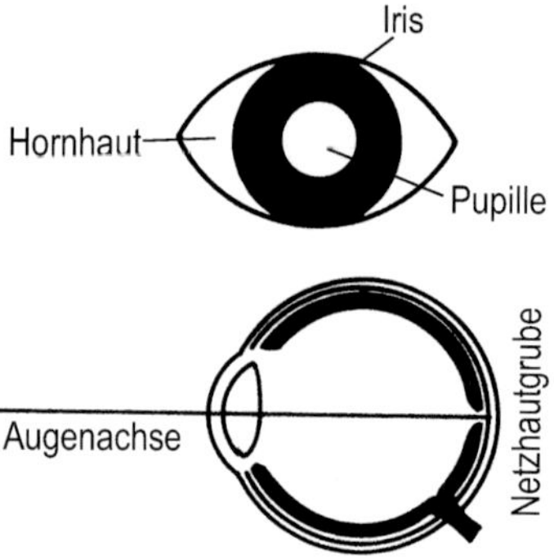

3. Das Bilden des Sehpurpurs konnten wir im ersten Versuch beobachten, als das Licht abgeschaltet wurde. Es dauert einige Zeit, bis sich der Sehpurpur bildet. Bis dahin sind wir „blind". Nachtblindheit ist die Unfähigkeit, Sehpurpur zu bilden. Zum Aufbau von Sehpurpur ist Vitamin A nötig. Vitamin A ist vornehmlich in Karotten enthalten. Genuss von Karottensaft fördert die Nachtsichtfähigkeit.

4. Bei Dunkelheit sehen wir mit dem kreisförmig um die Netzhautgrube von den Stäbchen gebildeten Sehpurpur. In der Linie der Augenachse sind wir blind. Beim zweiten Versuch war daher auch der Lichtpunkt, den wir angeschaut haben, viel schlechter zu erkennen als der daneben!

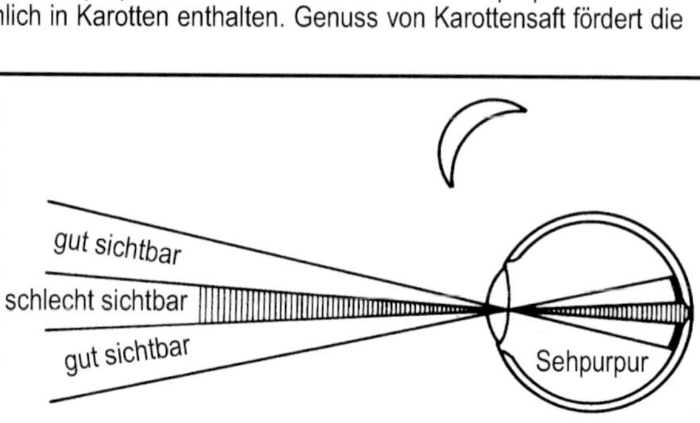

5. Der Sehpurpur verbraucht sich allerdings rasch; dann bildet sich daneben neuer. Ist auch der verbraucht, bildet sich kreisförmig daneben wieder neuer usw. Dadurch sehen wir das Ziel aus einem immer anderen Blickwinkel! Das haben wir beim dritten Versuch gesehen, als sich das feststehende Ziel für unsere Augen zu bewegen schien.
Sehpurpur verbraucht sich umso rascher, je angestrengter wir schauen. Je schärfer wir etwas betrachten, desto rascher und desto heftiger scheint es sich folglich zu bewegen.

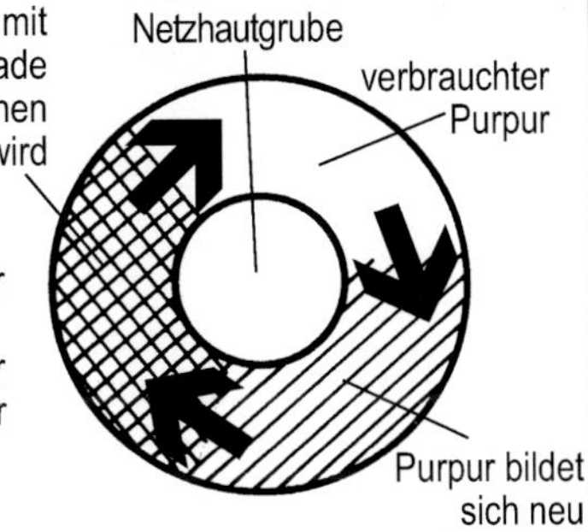

6. Das Sehen mit dem Sehpurpur ist nicht gut. Nicht nur, dass wir damit keine Farben erkennen können, man erkennt auch keine Einzelheiten, weil die Sehschärfe fehlt. Das haben wir beim fünften Versuch erkannt, als wir die pyramidenförmigen Nadelbäume auf dem hellgrünen Hintergrund nicht unterscheiden konnten. Durch das unscharfe Sehen erscheinen außerdem alle Gegenstände größer, als sie tatsächlich sind.

7. Dass wir Weiß am Besten sehen können, liegt daran, dass Weiß keine Farbe, sondern Licht ist und daher am längsten von den Zäpfchen in der Netzhautgrube beobachtet werden kann. Das war im vierten Versuch deutlich zu erkennen, wo uns die weißen Kästchen mit den Silhouetten ins Auge gesprungen sind.

3. Sieben Folgerungen

1. Kein weißes Licht verwenden!
Weißlicht zerstört den Sehpurpur und es dauert ca. 20 Minuten, ehe man wieder seine Nachtsichtfähigkeit erlangt hat. Dabei sind mehrere Weißlichteinwirkungen von kurzer Dauer weniger schädlich als eine einzige von langer Dauer.
Rotlicht zerstört den Sehpurpur nicht. Wenn schon Licht, dann möglichst rotes. Allerdings ist Rotlicht weithin zu sehen.
Bei Weißlicht die Augen schließen und mit der Hand abdecken! Weißlicht dringt durch die Augenlider hindurch. Ab besten schützt man sich, indem man die Augen in die Armbeuge legt.

2. Bei Dunkelheit eine Handbreit neben das Ziel schauen, dann sieht man besser!
In der Verlängerung der Augenachse sieht man schlechter als eine Handbreite daneben.

3. Je schärfer und länger ein fest stehendes Ziel betrachtet wird, desto mehr scheint es sich zu bewegen!
Man sieht einen Felsblock an und meint, der Gegner nähert sich an.
Wenn man das Ziel hingegen mit den Augen umkreist, sieht man es scharf.
Hilfspunkte verwenden, um zu kontrollieren, ob sich das Ziel tatsächlich bewegt.

4.	In der Dämmerung sind weiße Flächen am besten zu erkennen! Auch das eigene Gesicht und die Hände sind weiß, der Gegner erkennt sie sofort. Silhouetten vermeiden: Sich nicht vor hellem Hintergrund aufhalten (beispielsweise vor dem hellen Horizont oder einem weiß gekalkten Haus)

5.	In der Dunkelheit sind Einzelheiten nicht zu erkennen! Man sieht den Gegner nicht in scharfen Konturen, sondern nur als verschwommenes Etwas. Daher stets von unten nach oben beobachten – gegen den helleren Horizont, weil man da eher die Chance hat, Silhouetten zu erkennen!
6.	Bei Dunkelheit erscheinen einzelne Gegenstände größer als bei Tag! Nicht erschrecken!
7.	In der Dämmerung sind keine Farben zu unterscheiden! Was bei Tag sofort auffällt (ein roter Pullover im grünbraunen Wald beispielsweise), wird von der Dunkelheit verschluckt. Bei Nacht verraten nicht Farben, sondern Silhouetten

4. Zusammenfassung

1. Kein Licht verwenden!
   Licht blendet! Bei Licht Augen schließen und abdecken! Wenn Licht, dann Rotlicht!
2. Neben das Ziel schauen!
   Ziel nicht mit den Augen starr fixieren, sonst beginnt es sich „scheinbar" zu bewegen.
3. Ziel mit den Augen umkreisen!
   Scheint sich das Ziel zu bewegen, dann nicht anstarren, sondern es mit den Augen umkreisen. Hilfspunkte verwenden, ob es sich tatsächlich bewegt. Bei Dunkelheit scheint sich vieles zu bewegen.
4. Weiße Flächen sind besonders gut erkennbar!
   Insbesondere Gesicht und Hände.
5. Einzelheiten sind nicht zu unterscheiden!
   Silhouetten vermeiden!
6. Einzelne Gegenstände erscheinen größer!
   Nicht erschrecken!
7. Farben sind nicht zu unterscheiden!
   Aber Umrisse und Silhouetten.